YO SÉ QUIÉN SOY

SAMUEL PAGÁN

YO SÉ QUIÉN SOY

EDITORIAL
PATMOS

Yo sé quién soy
Don Quijote para creyentes y visionarios en el siglo 21

Colección «Palabra y más»

Segunda edición

Publicado por Editorial Patmos
P. O. Box 668767
Miami, Florida USA 33166
http://www.editorialpatmos.com

Cuidado editorial: Nohemí C. Pagán
Editoras de estilo: Miriam Gutiérrez y Elisama Velásquez
Diseño de cubierta: Marlon Soares
Diseño gráfico: Alexandre Soares
Arte: Obed Gómez. Utilizado con permiso. (www.obedart.com)

ISBN: 978-1-58802-472-5
Categoría: Motivación

Impreso en Brasil

Dedicación

A todas las personas que destruyen molinos que parecen gigantes, y a las que vencen los gigantes vestidos de molinos...

A los hombres y las mujeres que se han identificado a través de la historia con las aventuras y los proyectos del Hidalgo manchego...

A las predicadoras y los predicadores que descubren, disfrutan y viven el programa liberador de Don Quijote...

A creyentes y no creyentes que luchan diariamente por traducir sus sueños en realidades...

Y a Nohemí, Dulcinea puertorriqueña...

Índice

Presentación

De El Quijote, don Quijote y quijotes

Dice el evangelista Juan, al terminar su obra, que él creía que si se escribieran una por una todas las cosas que Jesús hizo, «en todo el mundo no cabrían los libros que podrían escribirse». Se trata, obviamente, de una hipérbole.

Y a hipérbole semejante podríamos recurrir para referirnos a los libros (impresos o electrónicos), artículos, ensayos, películas, dibujos, series de televisión, etc., que se han escrito acerca de la inmortal obra de aquel mortal que quedó manco en Lepanto. No solo la obra misma ha sido minuciosamente investigada, sino que también se han escrito muchísimas páginas acerca del propio autor de tan grande ingenio, de los personajes que intervienen en El ingenioso hidalgo don Quijote de la Mancha, de la situación histórica y social que fue la matriz en la que se engendró la obra, y de innumerables otros aspectos que han llamado la atención y han suscitado el interés de los estudiosos.

Pareciera, al contemplar semejante panorama, que la más renombrada obra que salió de la pluma de don Miguel de Cervantes Saavedra es fuente inagotable de reflexión que se vuelca no solo hacia el pasado –o sea, al período de su propia gestación y de su alumbramiento– sino también hacia su futuro, incluido nuestro presente y nuestro contexto latinoamericano.

La bibliografía cervantina –y más específicamente la dedicada a la inmortal obra– está repleta de nombres ilustres que han tratado, a lo largo de estos cuatro siglos que han transcurrido desde 1605, de meterse en las entrañas de ese texto para entenderlo, para descifrar los códigos que en él hay, para descubrir las recónditas motivaciones que impulsaron a aquel hombre que había fracasado en varias de sus empresas a dar a la humanidad otro hombre y otro nombre que se han convertido en epítome de quien se vuelve «fuera de sí» para poder vivir en defensa de los demás. Especialistas en diversas ramas del saber humano han buceado en las páginas de El Quijote con miras a iluminarlo, a hacer comprensible lo que haya podido quedar un tanto obnubilado por el inexorable correr del tiempo «devorador y consumidor de todas las cosas» (Primera parte, capítulo IX, volumen I, página 214) e, incluso, para ver si hay en esa ficción un mensaje que tenga vigencia para el ser humano, en cualquiera época y en cualquiera latitud.

Toda obra literaria es multidimensional. Una vez dada a conocer, por cualesquiera medios, pierde el cordón umbilical que la une a quien la engendró, para adquirir vida propia. Si, dicho de una mujer, «dar a luz» es «parir, alumbrar», dicho de una obra es «publicarla». Conforme se alarga la distancia temporal entre quien alumbra y lo alumbrado, los nexos de dependencia directa se van debilitando y esto último, «lo alumbrado», adquiere su propia autonomía porque se establecen nuevos nexos, temporales, espaciales y, sobre todo, humanos, que hacen que el mismo texto llegue a significar cosas diferentes para diferentes personas y en diferentes coordenadas espaciotemporales.

El ingenioso hidalgo don Quijote de la Mancha no es ninguna excepción. Por eso cae por su propio peso la pregunta que suele hacerse en casos como este; a saber: ¿por qué, entonces, publicar un nuevo libro, y más cuando el propio autor confiesa que no es cervantista «sino un aficionado a la literatura y un estudioso del mensaje bíblico»?

En efecto, la obra que el lector tiene ahora en sus manos –*Yo sé quién soy: Don Quijote para creyentes y visionarios en el siglo 21*– es muestra fehaciente de lo dicho. Inmediatamente después de la cita que acabamos de hacer, entresacada del Prefacio, el autor afirma «que ha descubierto que el proyecto quijotesco no puede permanecer en el anonimato de las bibliotecas ni en los círculos íntimos de los eruditos».

El autor de este libro, el doctor Samuel Pagán, no es nombre extraño en los círculos protestantes de habla castellana, en particular en la América que se comunica en esa lengua, pues ya ha publicado varios libros y ha tenido presencia académica en muchos de los países del Continente.

Al analizar la ingente tarea que don Quijote se echa sobre sus hombros, el profesor Pagán insiste de nuevo en el carácter misional de esa empresa. No en vano el propio caballero andante se definió a sí mismo en cierta ocasión como «ministro de Dios» («Así, que somos ministros de Dios en la tierra, y brazos por quien se ejecuta en ella su justicia»: Primera parte, capítulo XIII, volumen I, página 290), con lo que pareciera evocar palabras del apóstol a los gentiles (cf., por ejemplo, Colosenses 1.23, 25) y considerar lo suyo como un apostolado.

En El Quijote, perder el juicio, es «enajenarse». O sea, que el andante hidalgo se «en-ajena», «se sale de sí» para instalarse en el *alienus*, en el ajeno, en el extraño, en el que es otro. Ciertamente, quien está literalmente enajenado es caso de consultorio psiquiátrico. Pero el enajenamiento de nuestro personaje alcanza dimensiones que trascienden la necesidad de acudir a ese profesional –si se nos permite el anacronismo–. Es así porque cuando sus muchas lecturas lo sacan de sí, lo lanzan hacia el otro; pero no hacia cualquier otro, sino hacia el otro que sufre agravios, que es explotado, que ha caído bajo las fuerzas poderosas de magos encantadores y de gigantes sin corazón; hacia las damas en quienes él, en su estar en el otro, no ve profesión sino dignidad (y por eso, en la imaginería de la época, las convierte en hermosas princesas o en bellas doncellas).

En este punto, todo está preparado para un doble «salto». Y este –así, doble– lo da el Dr. Pagán sin reticencias.

La primera parte de este salto es de carácter cronológico: hoy hay agraviadores, explotadores, magos que pretenden encantar y encantan con retóricas demagógicas, gigantes que oprimen y expolian a los más débiles, sean estos personas o países; hoy hay niños contra los que se ejerce violencia y a quienes se les deja vivir en la más abyecta miseria y se les deja morir de inanición y hambre; hoy hay mujeres víctimas de quienes, a estas alturas de la historia, todavía se consideran los del «sexo fuerte» o los privilegiados por los ukases de divinidades antojadizas; hoy hay pueblos sojuzgados por otros más poderosos o por regímenes que irrespetan la dignidad humana, ya sea aduciendo razones religiosas, ideológicas, políticas o de cualquier otra naturaleza. Todos ellos son gigantes transmutados en molinos de vientos, y el caballero andante tiene la obligación de lanzarse contra ellos, aun a riesgo de terminar con sus huesos en tierra y con sus músculos terriblemente doloridos.

La segunda parte del salto nos trae al Caballero, con todo su simbolismo y con toda la fuerza de su inspiración, más cerca de nosotros: geográfica y teológicamente. Las amplias llanuras de la Mancha se transforman en las abiertas sabanas, en las tierras agrestes, en los campos fecundos de las Américas, y en las cúspides de las montañas que constituyen su espina dorsal. También hoy, allí –aquí– hay tiránicos gigantes devoradores de seres humanos y de haciendas, maléficos magos que quieren, con sus artimañas, embaucar a los desvalidos. Y aquí, en estas tierras, surgen y tienen que seguir surgiendo quijotes que, lanza en ristre, estén dispuestos a arrostrar el peligro para «desfacer agravios, socorrer viudas, amparar doncellas...» (Primera parte, capítulo IX, volumen I, página 215), para «desfacer fuerzas y socorrer y acudir á los miserables» (Primera parte, capítulo XXII, volumen II, página 196), y para asumir el testimonio del andante caballero: «pero yo, inclinado de mi estrella, voy por la angosta senda de la caballería andante, por cuyo ejercicio desprecio la hacienda; pero no la honra. Yo he satisfecho agravios, enderezado tuertos, castigado insolencias, vencido gigantes y atropellado vestiglos;... Mis intenciones siempre las enderezo á buenos fines, que son de hacer bien á todos y mal á ninguno» (Segunda parte, capítulo XXXII, volumen VI, páginas 258-259).

Esta transposición geográfica y misional adquiere así mismo dimensiones teológicas: porque en estas tierras que también han dado sus quijotes, ha surgido un pensamiento que encarna ese ideal quijotesco. En el último capítulo de su obra (titulado «Me parece que mi amo es teólogo»), el doctor Pagán incluye palabras como estas: «Los temas que se destacan en este libro sobre don Quijote, Yo sé quién soy, son similares a los que la teología latinoamericana del último cuarto de siglo veinte en América Latina ha articulado. Don Quijote nos ha recordado la vocación liberadora de la teología y la naturaleza teológica de la liberación. También ha subrayado e identificado el hidalgo la gente que debe ser el objeto principal de esa empresa de transformación liberadora: marginados, pobres y desposeídos; es decir, los que no tienen acceso pleno a los disfrutes de la naturaleza y de la vida».

El salto es completo. El ilustre e ingenioso hidalgo viene a América, jinete sobre su Rocinante, para rechazar «abiertamente la oscuridad que se asoma y se cierne sobre el alma humana» (Pagán, capítulo 8). Don Quijote es un misionero de la liberación.

Una penúltima palabra

Quien haya oído al doctor Pagán orar, es decir, pronunciar discursos de cualquier naturaleza (sermonarios, teológicos, culturales, magistrales), percibirá sin duda, en las páginas de este libro, la impronta inconfundible de su estilo: amplio dominio del vocabulario; imaginación poética (poeta es él) para armar la frase; claridad de la exposición; uso de palabras preferidas que funcionan casi como marcadores de estilo (por ejemplo: noble, ponderar, componente); unión de tres o más términos o expresiones, casi en ristra, a veces con juegos de palabras, que llevan la intención de acentuar lo que se dice (puede tratarse de un conjunto de adjetivos: «La despedida de duelo fue emotiva, intensa, extensa y dramática»; de substantivos: «el caballero vio en el semblante y figura de las mujeres, gracias, virtudes, valores y potencialidades»; de verbos: «...son muchas las experiencias que forman, informan, reforman, conforman y transforman a los seres humanos»; de frases: «La liberal descripción de las virtudes de Grisóstomo subrayó su cortesía, enfatizó su gentileza, puntualizó su amistad, celebró su alegría y destacó su bondad»; o de una combinación de algunos de estos elementos: «La madre de Marcela, que era una mujer noble, honrada, hacendosa y amiga de los pobres...»); y con frecuencia echa mano del recurso de la repetición (lo que le permite al lector tomar los capítulos como si fueran artículos independientes).

Y la última

El lector de *Yo sé quién soy* puede concordar con las interpretaciones particulares que al autor le permite hacer el abierto horizonte de la obra; o bien puede discrepar de tales interpretaciones. Ahí radica, en buena medida, la riqueza de la labor interpretativa del exegeta.

Sea cual fuere el caso, una cosa es cierta: el doctor Pagán muestra, en este breve estudio, que El Quijote sigue siendo una obra inagotable, de la cual nunca se ha dicho la última palabra... y muy probablemente nunca se dirá. Nos deja, además, pistas de lectura para futuros estudios, en los que se analice el texto cervantino desde novedosas perspectivas. Y a quien se inicie en la lectura de El Quijote, le ofrece un excelente abreboca.

Plutarco Bonilla A.
Tres Ríos, Costa Rica
Julio, 2007

*Las citas de *El ingenioso hidalgo don Quijote de la Mancha* están tomadas de la edición y notas de Francisco Rodríguez Marín, en 8 volúmenes (Madrid: Espasa Calpe, colección «Clásicos castellanos», 1952-1956).

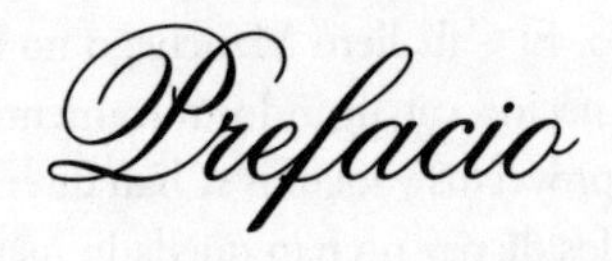

"Desocupado lector:
sin juramento me podrás creer
que quisiera que este libro,
como hijo del entendimiento,
fuera el más hermoso, el más gallardo
y el más discreto que pudiera imaginarse."
Tomo I, Prólogo

Desocupado lector u ocupada lectora

Desde su edición príncipe, *El ingenioso hidalgo don Quijote de La Mancha* superó los límites del tiempo y del espacio. Las ideas expuestas y los temas discutidos recibieron gran aceptación y reconocimiento desde el inicio mismo de su larga y fecunda carrera de publicaciones y ediciones. Su autor se revela como un escritor genial, capaz, versátil, intenso y prodigioso que se comunica efectivamente no sólo con la gente de su entorno histórico, lingüístico y cultural inmediato, sino con generaciones posteriores y con comunidades por él no soñadas ni imaginadas.

La gran creatividad y sabiduría, junto al genio extraordinario de los personajes de Cervantes, han penetrado con libertad en las más variadas culturas de diferentes períodos. Además, la obra ha contribuido de forma destacada a una mejor comprensión del ser humano y su mundo, y también al descubrimiento y aprecio de los valores que deben ser celebrados y afirmados a través de la historia. Muchos eruditos y cervantistas de diferentes épocas y culturas también han disfrutado y subrayado importantes principios éticos, morales y espirituales que se revelan en el proyecto de vida del gran paladín y libertador de los desposeídos y los cautivos, don Quijote de La Mancha.

El libro que el "desocupado lector", y también la "ocupada lectora", tiene en sus manos, *Yo sé quién soy*, es un nuevo esfuerzo para destacar y poner de manifiesto algunas virtudes espirituales, teológicas, literarias, filosóficas y morales de la obra, al llegar al siglo veintiuno. El Caballero Manchego no ha quedado cautivo en su generación, ni ha permanecido cabalgando únicamente los parajes españoles de La Mancha. Sus sueños, proyectos y locuras se han diseminado por el mundo. Sus ideales de justicia y anhelos de paz no han quedado inertes en terreno árido poco productivo. Han dado fruto abundante en nuevas generaciones de soñadores e hidalgos que han descubierto en la obra virtudes extraordinarias y noveles que no deben ignorarse ni pueden rechazarse por las nuevas generaciones de estudiantes.

El estudio sistemático y profundo de esta obra de Cervantes revela varias características que pueden explicar, aunque sea en forma parcial, el reconocimiento y el aprecio que diversas generaciones de lectores y estudiosos han dado a este personaje sin igual: El hidalgo don Quijote. En efecto, don Quijote de La Mancha es un personaje cuyos valores y enseñanzas rompen los límites del tiempo y el espacio. No aprisionan al famoso hidalgo la época, el lugar o la cultura. Las virtudes morales y los principios éticos que se identifican y subrayan tienen relevancia e importancia para la humanidad en general. No se ancla el valor fundamental de la obra en un entorno político y social estrecho, sino que rompe los linderos del tiempo y el espacio para contribuir de manera destacada a diversas culturas en diferentes épocas.

Las verdades siempre frescas de la obra se comparten de forma sencilla, se presentan de manera llana, se articulan con un estilo ameno y grato. El humor juega un papel preponderante. Los refranes y los dichos populares se presentan con maestría y efectividad. Esas características de la obra han sido aliadas extraordinarias de la transculturación del mensaje del famoso hidalgo manchego.

Han pasado ya cuatro siglos, desde que la valentía, los peregrinares, las andanzas, las aventuras y las locuras del famoso hidalgo de La Mancha rompieron el silencio de los tiempos en España. Han transcurrido no sólo varios siglos desde la creación de este singular personaje, sino que también han vivido generaciones de estudiosos que han ponderado y analizado de forma sistemática, ¡y posiblemente hasta las fronteras de la saciedad!, diversos aspectos de la gran obra de Cervantes. Se han estudiado, con dedicación y erudición, desde las particularidades textuales, tipográficas y lingüísticas del texto príncipe del primer tomo, pasando por la evaluación ponderada y crítica de la personalidad y la psicología de cada personaje, hasta las contribuciones del libro al desarrollo de la novela y la literatura modernas.

ENTORNO FAMILIAR, LITERARIO Y SOCIAL

Don Quijote es producto de la imaginación prodigiosa de don Miguel de Cervantes Saavedra, príncipe de las letras castellanas, y cuarto hijo de don

Rodrigo de Cervantes y de doña Leonor de Cortinas. Nació en el 1547, en Alcalá de Henares, pero viajó intensamente por Valladolid, Córdoba, Sevilla, Madrid, Italia, Argel, Portugal y Orán. Su gestión de conseguir trabajo en América fue infructuosa. Junto a su intensa y fecunda carrera literaria, que comenzó temprano en la vida (¡a los diecinueve años compuso un soneto a la reina Isabel de Valois!), Cervantes se incorporó también a la vida militar, que le llevó a participar en la famosa batalla de Lepanto, en el 1571, en la cual quedó impedido de un brazo, por lo que también se le conoce como el Manco de Lepanto.

Cervantes engendra y escribe su obra magna en un entorno literario, histórico y político particular, la España del siglo XVI, aunque publicó el primer tomo de don Quijote en el 1605. Durante esa época, que puede describirse correctamente como un período de racionalismo crítico y de la contrarreforma española, las novelas de las caballerías andantes gozaban de gran prestigio y popularidad en el pueblo. El propósito fundamental de Cervantes al concebir al hidalgo manchego, según muchos comentaristas, fue erradicar este tipo de novela de las conciencias y los apetitos literarios de la gente. Con esa finalidad crea a su genial personaje don Quijote de la Mancha.

Cervantes no "descubre" a don Quijote por casualidad. El personaje de héroe loco que crea no es el producto del azar literario, sino el resultado de la madurez emocional, literaria, social y espiritual de su autor. No fue la casualidad la que produjo al Caballero Manchego, sino muchos años de meditación sobria y reflexión crítica, y de períodos intensos de observación y análisis. El inquieto personaje de La Mancha es fruto de experiencias transformacionales en la vida.

El tipo de literatura de caballería —a la que posiblemente Cervantes alude en su obra— era condenada abiertamente por los diversos sectores moralistas de su época. Es un género literario que relata las grandes aventuras, los actos valerosos y las poderosas hazañas de caballeros andantes que emprenden las batallas extraordinarias, fabulosas y descomunales en tierras fantásticas, pobladas por gigantes y monstruos, en nombre de sus amadas doncellas y damas. Analizado desde esa perspectiva, don Quijote puede ser una especie de parodia, un ridículo de esos populares y famosos caballeros andantes. La obra, de acuerdo con estos estudiosos, podría ser una sátira literaria, una burla a los libros de caballería o un combate frontal a un género que contribuía muy poco a las transformaciones morales y espirituales que se requerían en la España cervantina.

El siglo XVI es época fértil para las novelas pastoriles y también para las llamadas obras picarescas. En la pastoril, la trama y el asunto se presentan no sólo en prosa, sino en poesía. Se dirigía este tipo particular de novela a un sector de la comunidad más culta y literata. Los personajes, aunque son cortesanos, aparecen disfrazados de pastores, en un ambiente idílico y utópico de prados verdes y aguas cristalinas. Generalmente estos personajes se ven involucrados en conflictos de amor que los mueven a desarrollar diálogos intensos en torno al amor y la desventura.

La novela picaresca, por su parte, que también influenció de forma destacada la obra de Cervantes, presenta la realidad social y la vida de forma clara y directa. A este género literario le caracterizaba y le interesaba destacar la descripción de lo contemporáneo, y hacía uso de un tipo de lenguaje claro, llano y significativo. Además, este tipo de obra manifestaba un tono de sarcasmo e ironía. Generalmente describía la vida de alguna persona marginada y excluida de la sociedad, que contempla la existencia humana con cinismo, pues "el pícaro" es víctima de la hipocresía y el egoísmo de sus semejantes.

Cervantes gesta su obra en el entorno literario y social de la España renacentista. Don Quijote es, posiblemente, el personaje que articula el esfuerzo serio que reacciona adversamente a los tipos de novelas que se leían en su época: ¡Desea eliminar por completo, el sabio Manco de Lepanto, las populares novelas de caballerías!

Nació Cervantes en un contexto político particular, concreto y definido: Durante el reinado de Carlos V, en una época de singular expansión imperial española. Sin embargo, cuando Cervantes escribe don Quijote, España que se creía dueña del llamado "Nuevo Mundo", le había dado las espaldas al resto del continente europeo, al descubrir el fracaso de la unidad católica de Europa. Era en verdad una época de desafíos y crisis. Fuera de sus fronteras se rechazaba la hegemonía española, y dentro del país, una seria crisis económica y social afectó adversamente la estabilidad del imperio. La derrota de la marina española, conocida comúnmente como la "Armada Invencible", en el 1588, identifica un punto fundamental en el comienzo del ocaso español.

Un propósito nuevo

Este nuevo libro sobre don Quijote, *Yo sé quién soy*, no sólo nos llega en el siglo veintiuno, sino que es escrito por un latinoamericano y caribeño. Un estudioso entrenado profesionalmente no en las letras castellanas del celebrado Siglo de Oro, o en la extraordinaria y extensa literatura medieval española, sino en teología, particularmente en Biblia. El autor de este libro sobre don Quijote es un teólogo bíblico que desea revisar la obra cervantina con esos ojos críticos de exegeta de las Sagradas Escrituras. Por esa razón fundamental, su lectura y reflexiones se nutren de sus vivencias en Puerto Rico, el Caribe, América Latina y las comunidades hispanas y latinas de los Estados Unidos de Norte América. En efecto, la perspectiva teológica que manifiesta el autor sobre el Quijote toma seriamente en consideración las condiciones de marginación, pobreza, angustia y desesperanza que se viven en el continente americano.

Este autor ha estudiado con detenimiento los dos tomos de la genial obra de Cervantes. Ha identificado capítulos de importancia, ha leído con sobriedad las serias intenciones del lenguaje cómico y el humor de la obra y ha evaluado secciones fundamentales. Ha analizado frases célebres y ha ponderado palabras significativas en busca de ideas y conceptos que puedan entrar en diálogo con las necesidades de las comunidades contemporáneas y los lectores modernos.

Don Quijote y Sancho Panza salen nuevamente de viaje por la España antigua para interpelar y dialogar con lectores contemporáneos sobre temas de eterna actualidad, con gente que se interesa en la creación de una sociedad más justa, noble, grata y equitativa. Estas conversaciones y meditaciones intentan relacionar los ideales del sabio Caballero Manchego con los desafíos que le presenta a la sociedad del tercer milenio de la Iglesia las injusticias y los conflictos que se manifiestan en el mundo, específicamente en los pueblos latinoamericanos.

Yo sé quién soy no lo escribe, en efecto, un erudito en la obra de Cervantes, sino un aficionado a la literatura y un estudioso del mensaje bíblico que ha descubierto que el proyecto quijotesco no puede permanecer en el anonimato de las bibliotecas, ni en los círculos íntimos de los eruditos. El objetivo de este autor es enfatizar los paralelos y las implicaciones de los ideales de don Quijote con la empresa liberadora y salvadora de muchos creyentes. Gente que ha decidido decir no a la desesperanza; personas que se han resistido a vivir vidas superficiales y vacías; hombres y mujeres que han roto las cadenas que cautivan sus memorias, sus vivencias y su porvenir.

Don Quijote y Sancho Panza salen nuevamente de viaje por la España antigua para interpelar y dialogar con lectores contemporáneos sobre temas de eterna actualidad, con gente que se interesa en la creación de una sociedad más justa, noble, grata y equitativa.

Entre los temas que se ponderan en este nuevo libro sobre don Quijote se incluyen los siguientes: La importancia del entorno geográfico e histórico del caballero, su gran vocación en defensa de los derechos humanos de los marginados de la sociedad, la locura de la misión del hidalgo, el valor de la mujer, la idealidad del

Dulcinea, la fiel amistad de Sancho, y los consejos del leal escudero al hidalgo al momento de morir. Estos temas se exponen al evaluar y comentar porciones de los textos cervantinos en diálogo con algunas de las preocupaciones, prioridades e intereses de la teología latinoamericana contemporánea.

No es una lectura ingenua y superficial la que se ha hecho para escribir este nuevo libro sobre don Quijote. El autor se dispuso a desarrollar una evaluación sistemática, sosegada y seria del proyecto misionero del hidalgo manchego, y, además, ha deseado identificar las implicaciones actuales y perennes de esa genial obra. Intenta dialogar con el famoso personaje cervantino para descubrir su importancia y pertinencia para la gente que vive un nuevo siglo, y que vive todavía en sociedades que permiten gente cautiva en "entuertos" y oprimida por "gigantes" que tratan de robarles de la paz y el derecho a vivir con dignidad y valía.

En la lectura del libro de Cervantes hemos identificado episodios de importancia misionera, particularmente los que se relacionan con liberaciones de gente golpeada o encadenada. Ese es el caso de la liberación del joven Andrés, y la de los galeotes. Ambos episodios ponen de manifiesto la vocación liberadora del Quijote, fundamental para entender la obra cervantina y necesaria para comprender los grandes esfuerzos teológicos latinoamericanos en las postrimerías del siglo veinte. Don Quijote es el paladín de la gente cautiva y el héroe de las personas que no viven satisfechas en sus cautiverios y desean emprender el camino de la vida y la liberación.

Un hombre entrado en años, débil, achacoso y loco, se convierte en paladín y defensor de la gente en necesidad. Ese ideal es apreciado y válido para la humanidad en toda las épocas. Su misión de enderezar entuertos, es decir, defender viudas, huérfanos y doncellas, y proteger menesterosos y desvalidos contra los abusos de los poderosos, son aspiraciones humanas para gente noble de todos los tiempos. La locura del hidalgo no consiste en su misión, sino en no percatarse de que carece de fuerzas suficientes para lograr su propósito fundamental en la vida: La implantación de la justicia.

Don Quijote fue un hombre inquieto. No pudo permanecer contemplando la vida desde su hogar. Se dio al camino para ser protagonista en proyectos contra gigantes que parecen molinos, y contra molinos que parecen gigantes. El Quijote no podía quedar enclaustrado en La Mancha, en una vida pasiva, superficial y contemplativa, cuando el mundo necesitaba soñadores y visionarios. El hidalgo no fue un liberador del balcón, ni deseaba ser el ideólogo de un movimiento revolucionario utópico. No estaba interesado tampoco en dar órdenes redentoras a otras personas, sino que encarnó y vivió lo que soñó y propuso. Ante el cautiverio y dolor de gente en necesidad, volvía a invocar, una y otra vez, su misión: "pues no hay ninguno en la tierra de quien se pueda esperar consejo en las dudas, alivio en las quejas, ni remedio en los males" (Tomo I, Cap. XXVIII).

Don Quijote fue un hombre cabal, y un soñador... Lo llamaban loco porque no se resignó a únicamente existir. Deseaba vivir con intensidad sus sueños, y a la gente que desea traducir sus sueños de justicia a la realidad muchas veces la catalogan como loca. Las sociedades que generan dinámicas que permiten o producen la marginación y la opresión entre los seres humanos, separan, critican, ofenden, hieren y hasta asesinan a los quijotes. Las comunidades que facilitan el cautiverio y el empobrecimiento de sus pueblos no resisten gente como don Quijote, pues les recuerdan sus maldades y les confrontan con sus realidades.

Mediante el artificio literario de la demencia, don Quijote rechaza un mundo insípido, caduco, desalmado, cautivo y opresor, y adopta el estilo de vida heroico que delata una persona madura de espíritu y transformada. La vida y obra de este loco sublime y genial es la exaltación del idealismo. Es también la glorificación de la gente que sueña que la justicia es posible y, que no sólo es posible, sino que es un deber moral hacerla realidad y actuar en el mundo.

No es el proyecto quijotesco uno de gente medrosa o inmadura. Se requiere sentido de aventura, espíritu emprendedor, capacidad para proyectarse con fuerza al porvenir, deseo de servir desinteresadamente a la sociedad, y sobre todo, voluntad firme para impedir todo tipo de cautiverio que ofrenda la imagen de Dios en los individuos y los pueblos: ¡No es bueno ni justo que la gente cautive y encadene a quienes Dios hizo libres!

Don Quijote no es un loco de atar cuya demencia le lleva por los senderos de la enajenación, sino una persona seria y decidida que hizo de la implantación de la justicia una especie de evangelio, una forma de vocación y un compromiso de misión en la vida.

POSIBILIDADES Y ALTERNATIVAS

Este nuevo libro sobre don Quijote, *Yo sé quién soy*, tiene varias posibilidades y alternativas de uso. ¡Es importante llevar nuevamente la obra de Cervantes a los púlpitos y las aulas eclesiásticas!, pues el diálogo entre la literatura y la teología es fecundo, grato, pertinente, extraordinario y también muy necesario.

El género literario de la novela, por ejemplo, contiene episodios, diálogos y reflexiones que pueden contribuir al análisis de las fuerzas y dinámicas que afectan a la sociedad. Esas obras geniales de la literatura no tienen el propósito del entretenimiento personal o del pasatiempo comunitario; ciertamente comunican un mensaje. Las dinámicas, los personajes, las experiencias y los argumentos que se revelan en la literatura pueden ser expresiones y manifestaciones concretas de la realidad; en efecto, proyecciones de la vida diaria. Los temas discutidos y los asuntos tratados revelan evaluaciones críticas y certeras de las sociedades y manifiestan inteligencia y sabiduría en el análisis de las motivaciones y causas de los conflictos que nos rodean.

> *Don Quijote fue un hombre inquieto. No pudo permanecer contemplando la vida desde su hogar. Se dio al camino para ser protagonista en proyectos contra gigantes que parecen molinos, y contra molinos que parecen gigantes.*

Don Quijote debe llegar a los púlpitos no para adornar la retórica de los discursos religiosos, ni para halagar la musicalidad literaria del oído de los oyentes, sino para interpelar a los creyentes con los desafíos y las implicaciones de las acciones del famoso caballero de La Mancha. El proyecto quijotesco enseña claramente que para hacer realidad los grandes ideales de la vida, hay que salir de la conformidad que nos brinda la hacienda personal para conquistar al mundo. Los proyectos de conquista en la vida no se logran con una actitud pasiva, superficial y poco comprometida, sino con el esfuerzo decidido y sistemático, con el trabajo continuo y firme, y con la dedicación absoluta a la transformación de los ideales en realidades cotidianas.

La realidad no se transforma únicamente con discursos, sino con el trabajo fuerte y decidido de la gente que sueña y no se resigna a vivir en la mediocridad, en la desesperanza, ni en el cautiverio.

Los estudiantes del Quijote se pueden beneficiar de varias formas con la lectura de esta obra. Todo estudio de los grandes clásicos de la literatura universal requiere también el análisis de fuentes secundarias para el descubrimiento y aprecio de valores y enseñanzas que no se manifiestan plenamente en una primera lectura. Ese tipo de literatura, muchas veces compleja en contenido, extensión y valores, necesita lecturas suplementarias para identificar y disfrutar particularidades culturales, peculiaridades estilísticas y desafíos educativos. Y este libro sobre don Quijote, *Yo sé quién soy*, puede contribuir a ese proceso de iniciación a la obra de Cervantes o también como lectura suplementaria.

Don Quijote salió raudo a recorrer los parajes y caminos de España para enfrentar una sociedad que había olvidado los valores que producen gente grata, culta, sobria, sabia, noble, digna y justa. El hidalgo emprendió un proyecto heroico que honraba la verdad y daba culto al honor. Afirmó el proceder justo y sin tacha, y celebró el sacrificio y la defensa de los desvalidos. Ejerció su autoridad e incentivó la administración ecuánime de la justicia. Rechazó la vida de riquezas y comodidades para hacer realidad un ideal, para conquistar una pasión, para conseguir una ilusión.

Particularmente, este nuevo libro sobre el viejo don Quijote debe ayudarnos a leer el clásico de Cervantes con los ojos de los valores y las enseñanzas religiosas. ¡Es mucho libro don Quijote para comprenderlo todo o aquilatar la magnitud de su belleza y profundidad en una sola lectura! Los tomos cervantinos no son obras para una sola perspectiva. Poseen diversos niveles de comprensión que requieren ponderación y profundidad de parte del lector o lectora. El famoso equívoco de la obra —es decir, los diversos niveles de sentido e interpretación que evocan sus episodios— es una característica fundamental de la vida. El serio conflicto entre el héroe y el ambiente que le rodea genera un aluvión de posibilidades interpretativas que impulsan la obra a niveles olímpicos de creatividad e imaginación.

Mi objetivo básico, al escribir sobre el inmortal hidalgo don Quijote de La Mancha, es acompañar al lector o lectora a descubrir valores espirituales, afirmar paralelos morales, percatarse de similitudes éticas, y disfrutar congruencias filosóficas y prácticas con la teología latinoamericana de las postrimerías del siglo veinte y principios del veintiuno. Tanto don Quijote como la teología latinoamericana intentan comenzar un proyecto de liberación a favor de los desposeídos de la tierra. Junto al héroe loco, descubriremos enseñanzas y valores que pueden contribuir de forma destacada a la reflexión teológica seria en el mundo hispano parlante.

Nuestra lectura de don Quijote no intenta identificar paralelos o citas directas del texto cervantino con porciones de la Sagrada Escritura. Aunque ese puede ser un esfuerzo con méritos, no es el objetivo de este libro. No es nuestro deseo tampoco hacer un estudio extenso de las características religiosas e implicaciones espirituales de sus personajes. Ni intento en ninguna manera agotar las posibilidades de interpretación del texto de Cervantes ante los lectores y lectoras. La literatura, una vez publicada, tiene su propia vida y genera su particular reacción en los lectores. Las dinámicas que producen textos como el de don Quijote no se pueden cautivar en un libro.

Una forma de identificar y estudiar los valores religiosos de don Quijote se relaciona con el estudio de la teología implícita en la obra. Como el objetivo de Cervantes no fue producir un tratado de teología sistemática, es fundamental la evaluación sosegada y sobria de los valores religiosos, teológicos y éticos que se manifiestan en los discursos del hidalgo, en los comentarios de Sancho, en las reacciones de los personajes, en las declaraciones de narrador y en las reflexiones del autor. La teología así expuesta no es el resultado de la especulación poco pragmática, sino el producto de la evaluación y renovación de las ideas, los conceptos, las actitudes y los valores que están profundamente enraizados en la humanidad.

El propósito primordial de este libro es incentivar la reflexión teológica y misionera partiendo de dos bases fundamentales. De un lado, el texto de Cervantes y el proyecto liberador que le dio razón de ser a la misión de don Quijote. Y del otro, la experiencia teológica latinoamericana que nos nutre y renueva, y que también nos forma, informa, reforma y transforma. Entre esos dos importantes vectores se genera este libro que el lector o la lectora tiene en sus manos. El extraordinario texto del inmortal Manco de Lepanto tiene vida propia y relevancia hoy, pues articula dinámicas, presenta conflictos y revela preocupaciones que se manifestaban en la sociedad en la cual vivió su autor. Ese diálogo entre autor y sociedad, descubre y disfruta valores que manifiestan importancia eterna y repercusiones actuales.

El texto básico utilizado en este estudio es la edición de John Jay Allen, *Don Quijote de la Mancha*, 17ma edición, Madrid: Cátedra, 1995. Esa edición crítica de Allen contiene una serie de notas marginales de gran importancia para el lector inicial de don Quijote; además, incluye una bibliografía magnífica de las publicaciones en torno a los diversos aspectos y peculiaridades de la obra de Cervantes.

Gratitud

La deuda de gratitud que tengo al finalizar este libro es enorme. En primer lugar, la lectura de los clásicos cervantistas me ha dado una buena perspectiva histórica y literaria de la obra. Además, me ha brindado la magnífica oportunidad de entrar en diálogo con algunos estudiosos de otras épocas, latitudes y experiencias. Esa gran contribución intelectual de las obras clásicas ha contribuido significativamente en la comprensión de pasajes oscuros, en el análisis de frases complejas o no usadas en el castellano actual, y en torno a las posibles intenciones del autor.

A Plutarco Bonilla Acosta, viejo amigo, español y latinoamericano, y fiel estudioso de don Quijote, le debo mi renovado apetito por estudiar la obra de forma sistemática y continua. En nuestros diálogos se gestó la posibilidad de este libro. ¡Muchas gracias por sus desafíos y recomendaciones!

A las iglesias y comunidades hispano-parlantes que han escuchado con paciencia mis reflexiones sobre el singular Caballero Manchego, deseo manifestar mi aprecio y público agradecimiento. En muchas conversaciones, amigos y amigas de siempre, como también gente recién conocida, me sugerían que escribiera esas ideas y meditaciones. Toda esa buena nube de testigos merece mi reconocimiento y gratitud.

Y a Nohemí, la sin par Dulcinea que me acompaña en mis peregrinares teológicos, homiléticos, administrativos y literarios, va mi expresión de amor y mi dedicación más honda. Ella ha sido, además de esposa, madre y abuela, editora sabia, crítica fiel y compañera intelectual del camino. Sacrificamos mucho tiempo de hogar para compartir ideas en torno al genio y las andanzas del inmortal Caballero de los Leones.

Sólo me basta reconocer, junto a Cervantes, con humildad y gratitud, que "El sosiego, el lugar apacible, la amenidad de los campos, la serenidad de los cielos, el murmurar de las fuentes, la quietud del espíritu, son gran parte para que las musas más estériles se muestren fecundas y ofrezcan partos al mundo que le colmen de maravilla y de contento" (Tomo I, Prólogo). "Vale."

Luego de diez años la Fundación «Palabra y más» edita y publica nuevamente esta obra del Dr. Samuel Pagán por varias razones: Para responder a las peticiones continuas de muchas personas que deseaban estudiar estos temas; y también para entrar en diálogo con nuevos hermanos, hermanas, amigos y amigas que entienden la importancia del proyecto de vida del Quijote, en la sociedad posmoderna del siglo veintiuno que nos ha tocado vivir.

Capítulo 1

EN UN LUGAR DE LA MANCHA...

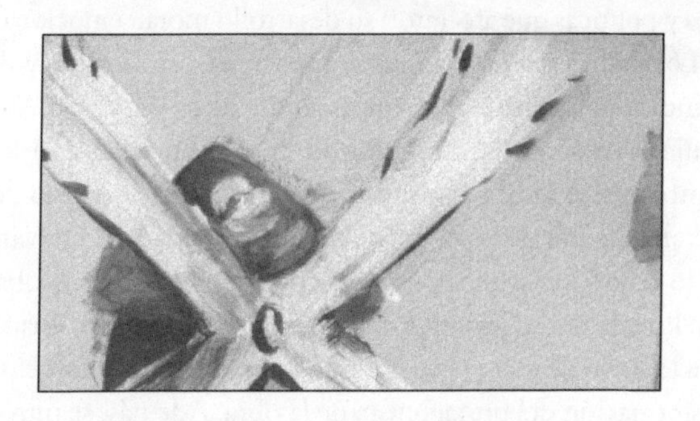

En un lugar de La Mancha,
de cuyo nombre no quiero acordarme,
no ha mucho tiempo que vivía un hidalgo
de los de lanza en astillero, adarga antigua,
rocín flaco y galgo corredor."
Tomo I, Cap. I

El tiempo y el espacio

La obra comienza con una referencia general a la región que fue testigo del lugar donde don Quijote salió a transformar sus lecturas y sueños en andanzas, bienes y peregrinares. Ese "lugar de La Mancha" fue la matriz ideológica del hidalgo: ¡La gran cuna del proyecto quijotesco! El famoso "lugar" aludido al inicio del libro fue el entorno donde se gestaron las aspiraciones más nobles y los anhelos más gratos de Alonso Quijano, el Bueno.

En ese rincón de España surgieron las transformaciones extraordinarias del hidalgo señor Quijano a don Quijote, y surgieron también sus compromisos nobles y serios con la justicia y la verdad. Se manifestó, además, en el mismo "lugar de La Mancha", su ferviente deseo de responder al clamor de los desposeídos y escuchar el llanto de los marginados de la sociedad. Aunque las aventuras de nuestro protagonista ciertamente se llevan a efecto fuera de La Mancha, esta referencia geográfica identifica y destaca la españolidad del héroe de la obra, y lo ubica claramente en el tiempo y el espacio.

El primer capítulo del libro es una especie de preámbulo, una introducción, un adelanto a la narración que posteriormente se presenta. Se introduce de inmediato el proyecto quijotesco: ¡Resucitar la andante caballería! No incluye nada referente al nacimiento y la infancia del héroe, ni se identifican con precisión las fuerzas familiares, sociales y políticas que afectaron su desarrollo moral, emocional, intelectual y espiritual. Los padres del hidalgo no se mencionan en la obra, y de su linaje y abolengo se indica únicamente que no descendía de reyes.

Don Quijote nace, en efecto, adulto: "frisaba su edad con los cincuenta años". Sin embargo, se indica con precisión las causas de extravío de la razón de don Quijote: ¡La lectura de las obras de caballeros andantes! Cervantes adelanta únicamente lo requerido y necesario para comprender la vida y obra del héroe.

Se inician los relatos de Cervantes con un esbozo del hidalgo, una aproximación a la aldea que le sirvió de marco geográfico a las narraciones y una síntesis del proceso de transformación del protagonista de la obra. Además, se introducen varios personajes y se describen también algunas características de don Quijote.

En las líneas iniciales del libro se esconde un aluvión de insinuaciones y posibilidades. La Mancha, aludida de forma imprecisa y sobria, puede representar una región de la Península Ibérica lejana e indeterminada. Esa vaga referencia genera un sentido de distancia y ausencia, también evoca varias posibilidades interpretativas. Aunque se puede determinar con alguna precisión la región del suelo español con ese famoso nombre, el objetivo del autor, posiblemente, más que identificar de forma específica una región, ciudad, pueblo o comunidad, es evocar los muchos espacios históricos en los cuales la gente sueña y crea el futuro.

En efecto, ese lugar de La Mancha puede representar el espacio histórico en el cual las personas se organizan para iniciar proyectos y empresas que contribuyan de forma positiva y creadora a los procesos transformadores y redentores de la humanidad. La importancia de La Mancha no reside, necesariamente, en su ubicación exacta ni en su identificación precisa, sino en el potencial de actividades liberadoras que puede generar. La Mancha es la cuna de los esfuerzos más nobles de la humanidad y es también el centro de los proyectos que pueden contribuir de forma transformadora al bienestar de individuos y pueblos.

Sin embargo, podemos descartar de forma absoluta y categórica la posibilidad real de que la expresión manifieste el sentir del autor ante alguna experiencia adversa o episodio desagradable de su vida que prefiere no recordar ni evocar. Los estudiosos han identificado el lugar de La Mancha con Argamasilla de Alba, Quintana de la Orden o Tirteafuera.

Don Quijote llega a la historia en una época en la cual se evoca la literatura de caballeros andantes y las luchas de cruzados; y en ese entorno literario, las novelas de caballería tenían gran popularidad, aceptación y prestigio. Era un momento histórico de transformaciones y contradicciones profundas en España. Se vivía un período de crisis financiera, se experimentaban importantes derrotas militares, y también se reaccionaba a la oposición política interna y externa. Además, el llamado "Nuevo Mundo" brindaba una gama extraordinaria de posibilidades económicas noveles y de desafíos políticos renovados. La pluma de Cervantes revela, describe y critica varios aspectos fundamentales de ese período de la historia española de forma sagaz y articulada.

EL HIDALGO Y SUS ARMAS

El protagonista de la obra es un hidalgo. En esa misma expresión descriptiva se incluyen componentes fundamentales de sentido que pueden orientar al lector o lectora: hidalgo, es decir, "hijodalgo", o mejor dicho, "hijo de sus obras". La expresión no enfatiza el trasfondo familiar y cultural del personaje, sino que subraya sus actos y sus hazañas. Don Quijote es descendiente de sus gestos heroicos, es hijo de las aventuras liberadoras que emprende. En efecto, su linaje comienza con él mismo.

Cervantes identifica y describe al hidalgo de nuestra historia con la expresión: "de los de lanza en astillero, adarga antigua, rocín flaco y galgo corredor". Posiblemente éste era un tipo de hidalgo fácilmente reconocido por la comunidad. Esta descripción física, además de manifestar algunos detalles específicos del héroe, revelan aspectos de su vida y rasgos de su personalidad que deben ponderarse. Se alude a dos instrumentos de guerra, y a dos animales relacionados con la paz.

La lanza era el arma de ataque por excelencia. Símbolo de la vida guerrera a través de los siglos, era, en efecto, el prototipo de las milicias y las campañas bélicas. Representaba la vida militar en su óptima expresión. Sin embargo, en el entorno de la obra de Cervantes, la lanza podía representar, además, el signo de la verdad. A los caballeros se les daba una lanza para defender la verdad, símbolo de la justicia y la rectitud, y apoyo decidido de la verdad y la esperanza. El arma, en el mundo literario de Cervantes, no era necesariamente el instrumento de muerte para la destrucción y el cautiverio de los necesitados, sino una de las herramientas requeridas para la construcción del bien y para la liberación de los desposeídos y menesterosos. La lanza, en la obra de Cervantes, responde a la bondad, colabora con la justicia, apoya la verdad, y sostiene a la gente necesitada.

La adarga es fundamental para la defensa del caballero. Era el escudo, de extracción árabe, que se utilizaba para la protección del combatiente. Su inclusión entre las armas de don Quijote, revela que el proceso que iniciaba el hidalgo requería defensa, prudencia, sabiduría, sobriedad, sagacidad. Las empresas liberadoras no se fundamentan en la temeridad ni en la imprudencia, sino en la búsqueda del bien y el establecimiento de la justicia. En esos importantes procesos liberadores, la prudencia, la sabiduría y la efectividad son requisitos indispensables. La persona que lucha debe protegerse con la adarga, que tiene el potencial de salvarle la vida al fragor del combate.

Don Quijote tomó las armas que estaban "olvidadas en un rincón", llenas de orín y de moho. En la frase se infiere una crítica solapada a la sociedad española que olvida y abandona algunos instrumentos valiosos para la propagación de la justicia y la afirmación del bien. Las armas en este contexto no simbolizan la muerte. Representan, en efecto, los agentes necesarios para el establecimiento del orden y para la implantación de la justicia. Cuando los instrumentos requeridos para la implantación de la justicia y el orden se olvidan y caen en desuso, se desarticula la fibra más honda de los pueblos, se desorientan las fuerzas más nobles de las comunidades, se incapacitan las dinámicas liberadoras de la gente.

El relato y análisis de don Quijote pone de manifiesto una serie de valores fundamentales en la vida, de acuerdo con los principios articulados por Cervantes: fe, vida, honra y familia, justicia y patria.

El relato y análisis de don Quijote pone de manifiesto una serie de valores fundamentales en la vida, de acuerdo con los principios articulados por Cervantes: fe, vida, honra y familia, justicia y patria. En torno a ese particular tema, don Quijote elaboró un muy sabio y elocuente discurso, ante los ejércitos del llamado "pueblo del rebuzno": "los varones prudentes y las repúblicas bien concertadas, por cuatro cosas han de tomar las armas y desenvainar las espadas y poner riesgo a las personas, vidas y haciendas: ...por defender la fe católica; ...por defender su vida; ...en defensa de su honra, de su familia y hacienda; y ...en la guerra justa; y si quisiéramos añadir la quinta, ...en defensa de la patria" (Tomo II, Cap. XXVII).

Estos principios sostienen a las sociedades progresistas, y, además, describen a las comunidades que se proyectan con fuerza y seguridad al porvenir. El consejo del hidalgo todavía tiene pertinencia: Las grandes batallas de la vida se libran en relación con principios morales y valores éticos de importancia capital. No se deben generar, de acuerdo con esta filosofía de la vida, con conflictos bélicos fundamentados en actitudes expansionistas e imperialistas, ni tampoco para aprovechar debilidades de pueblos o individuos.

A los instrumentos de guerra, añade Cervantes, hay dos elementos importantes que se relacionan íntimamente con la paz, el trabajo y la recreación: el rocín y el galgo. Un gran personaje cervantino, que posteriormente se convierte en el caballo de guerra más famoso de la historia, se describe con humildad y sencillez con la expresión "rocín flaco". Esta característica física de Rocinante, el eterno y fiel acompañante del Caballero de la Triste Figura, se pone de manifiesto en el soneto "Diálogo entre Babieca y Rocinante":

"¿Cómo estás, Rocinante, tan delgado?
Porque nunca se come y se trabaja.
Pues ¿qué es de cebada y de la paja?
No me deja mi amo ni un bocado."
(Tomo I, Versos Preliminares).

En Rocinante se relaciona a don Quijote con la vida diaria de la comunidad de La Mancha. Se pone de relieve lo doméstico y lo común en el hidalgo. La referencia al "rocín flaco" alude a los trajines de la cotidianidad de los pobladores de la comunidad. Evoca las actividades en el campo, las labores domésticas y la transportación. Rocinante nos habla de la humanidad de don Quijote, y también de su estilo de vida.

El "galgo corredor" representa las posibilidades de caza de los habitantes de la aldea. Alude, particularmente, a los ejercicios que llevaban a efecto la gente interesada en la guerra durante los períodos y tiempos de paz. Desde el inicio mismo de la obra, Cervantes presenta el potencial bélico y la vocación de guerra que se revelará posteriormente en el hidalgo, aunque todavía no se ha declarado de forma clara, firme y absoluta.

DIETAS Y VESTIDURAS

La dieta de don Quijote describe sus costumbres alimenticias; además, puede revelar su nivel socioeconómico. La "olla de algo más vaca que carnero, salpicón las más noches, duelos y quebrantos los sábados, lentejas los viernes, (y) algún palomino de añadidura los domingos", describen lo popular de la dieta rutinaria de don Quijote: ¡Las comidas descritas constituían los platos básicos de los pobres de la época! La alimentación del hidalgo pone de manifiesto también que vivía en un mundo pausado y lento, en el cual las dietas no variaban, y la alimentación seguía un ritmo fijo y definido. Se infiere en la descripción de los alimentos un tono de monotonía, un sentido aburrimiento que denota lo estático del ambiente de don Quijote en La Mancha. Vivía el hidalgo en una especie de letargo, en el cual poco pasaba.

Si la alimentación relaciona a don Quijote con los sectores desposeídos y marginados de la comunidad, sus vestiduras, por el contrario, lo ubicaban en el mundo de las apariencias y la elegancia. El "sayo de velarte" (o paño fino), las "calzas de velludo para las fiestas" (de terciopelo), y el "vellorí" (paño pardo entrefino) colocan al protagonista de nuestra historia en una escala socioeconómica con ciertas ventajas y libertades. Las vestimentas del hidalgo no son las típicas de los grupos pobres y marginados, ni constituyen las telas más económicas del mercado.

Con relación a la alimentación y las vestimentas de don Quijote se presenta una muy seria crítica a la sociedad. Se juntan, en el mismo personaje, la pobreza, la riqueza y las apariencias. Cervantes identifica, al comenzar su obra, una de las contradicciones fundamentales de la vida: La pobreza y la riqueza coexisten diariamente en los mismos entornos, en los mismos pueblos, en los mismos hogares, en las mismas familias, y aún en las mismas personas. Además, se identifica en la forma de vida de don Quijote, el conflicto continuo y extraordinario entre las realidades y las apariencias. ¡El hidalgo comía como pobre, pero vestía como rico! En la administración de sus recursos económicos no se manifestaba la sabiduría necesaria para desarrollar un estilo de vida balanceado y auténtico. Cervantes pone de relieve una de las más grandes contradicciones de la vida: El encuentro inmisericorde entre la pobreza y la riqueza.

Personalidad de don Quijote

El protagonista de la obra es un hombre adulto: "Frisaba la edad de nuestro hidalgo con los cincuenta años; era de complexión recia, seco de carnes, enjuto de rostro, gran madrugador y amigo de la caza". Este perfil del hidalgo funde en un párrafo algunos aspectos físicos y varios elementos sicológicos. La oración contiene en esencia la personalidad de don Quijote, la cual se elaborará paulatinamente en las narraciones de sus hazañas y en la descripción de sus actos heroicos.

El perfil físico de don Quijote no se describe con amplitud en el capítulo inicial de la obra. Se alude únicamente a su "complexión recia", aunque también se indica que era "seco de carnes" y "enjuto de rostro". La descripción presenta a una persona extremadamente delgada. Se enfatiza su apariencia ridícula, se manifiesta un aire de comicidad. La realidad, sin embargo, es que el énfasis del retrato inicial de don Quijote se relaciona más bien con los atributos de su personalidad y con su entorno psicológico. Posteriormente en la obra se identifican otros rasgos fisonómicos del hidalgo.

En un gran episodio de la obra, otro caballero andante conocido como el Caballero del Bosque, explica sus supuestas luchas y victorias sobre el famoso don Quijote de La Mancha. Para convencer a los oyentes de la verdad de sus hazañas, el Caballero del Bosque describe a don Quijote: "es un hombre alto, seco de rostro, estirado y avellanado de miembros, entrecano, la nariz aguileña y algo corva, de bigotes grandes, negros y caídos" (Tomo II, Cap. XIV). Esa es la descripción física que se ha tenido de don Quijote a través de los siglos. El valor de las ideas de este héroe se contrasta con el cuerpo flaco de un hidalgo aldeano, viejo, maniático, sin asear, que bien pudiera ser vecino de cualquier comunidad en algún momento de la historia.

A esa particular descripción, posteriormente, la hermosa Dorotea añade que don Quijote debía ser "alto de cuerpo, seco de rostro, y que en el lado derecho, debajo del hombro izquierdo, o por allí junto, había de tener un lunar pardo con ciertos cabellos a manera de cerdas" (Tomo I, Cap. XXX). Además, en torno a la apariencia física del hidalgo también se indica que tenía "las piernas muy largas y flacas, llenas de vello y no nada limpias" (Tomo I, Cap. XXXV).

La elaboración adecuada del nombre de caballería del héroe tomó ocho días. Si anteriormente la nominación de Rocinante —nombre, a su parecer, alto, sonoro y significativo— había tomado cuatro días; la del caballero, por lo menos debía tomar el doble. De un lado, al añadir "don" a su nombre se incorpora un elemento importante de nobleza y alcurnia, aunque el uso indebido o ilícito del título hace más ridículo al hidalgo. Del otro, "quijote", puede ser una burla a la quijada, una referencia al queso manchego (Quesada), o una alusión a la parte de la armadura que cubría el muslo. Además, algunos estudiosos han señalado que las palabras castellanas con terminación en "-ote" no suenan muy agradables, y de esta forma Cervantes enfatizaba la burla y lo ridículo en su personaje.

En el nombre mismo del hidalgo se incluye el germen de las contradicciones de la vida, que se convertirán posteriormente en una constante en la vida del protagonista. El "don" eleva ilegítimamente a nuestro personaje a las más altas esferas de la sociedad; y el "quijote" lo sumerge en los abismos de la ridiculez. La formulación completa del nombre culmina con otra burla solapada: la referencia a "La Mancha", que aunque identifica una demarcación geográfica específica, alude a una provincia común conocida por todos, sin historia previa de caballeros andantes.

Algunos estudiosos piensan que a los cincuenta años la gente en la España medieval era casi anciana. Sin embargo, don Quijote comienza su misión a esa edad. ¡La valentía y la dedicación a la justicia y la verdad no están confinadas a la juventud! El deseo de aprender y el espíritu de servicio a la humanidad no disminuyen con los años. Por el contrario, con el paso del tiempo la gente puede desarrollar sensibilidades previamente insospechadas y manifestar nuevas preocupaciones. La curiosidad y el análisis crítico no disminuyen a medida que pasan las generaciones. Don Quijote deseaba saber, comprender, inquirir, averiguar... Manifestó el Hidalgo Manchego un impulso hacia el conocimiento y una gran sed de aventura.

Otros estudiosos, sin embargo, sostienen que la sabiduría antigua que prevalecía en la España de la Edad Media identifica las edades humanas en seis períodos: el primero, la infancia (desde el nacimiento hasta los siete años); segundo, la puericia o edad pura (hasta los catorce años); tercero, la adolescencia (hasta los veintiocho años); cuarto, la juventud (hasta los cincuenta); quinto, el del señorío (hasta los setenta); y sexto, el de la vejez (hasta la muerte). De acuerdo con esta percepción del tiempo y los períodos humanos, don Quijote terminaba su juventud y comenzaba la quinta edad, la de la madurez, la del dominio de sí; es decir, ya no es joven, pero todavía no es viejo para emprender proyectos significativos e importantes en la vida.

Los apetitos heroicos de don Quijote no decrecen con su "desatino", pues su vida se mueve continuamente entre la realidad y la fantasía, entre la cordura y la locura, entre la sabiduría y la insensatez. El hidalgo "perdió el juicio" al descubrir las realidades que afectaban su vida y su hacienda, al percatarse de las dinámicas que destruían su entorno y su país, al encontrarse cara a cara con las fuerzas demoníacas que cautivaban su mundo y su futuro. Se salió de su límite, en la lectura voraz de los libros de caballería, y esos excesos lo llevaron al borde de la locura. Leyendo se pasaba el hidalgo las noches "de claro en claro", y los días "de turbio en turbio".

Pensaba el hidalgo que se necesitan personas fuera de sus cabales para enfrentar las injusticias del mundo, pues la gente aparentemente "cuerda" y "saludable" prefiere callar y otorgar, decide permanecer silente ante los atropellos, enmudece frente a las injusticias. El proyecto de vida de don Quijote requiere de gente "desajustada" a la vida vacía e inauténtica, personas que no se dejen cautivar en la sobriedad del hacer nada, en la opresión de la inacción, en el ruido cómplice y hostil del silencio.

> *La curiosidad y el análisis crítico no disminuyen a medida que pasan las generaciones. Don Quijote deseaba saber, comprender, inquirir, averiguar...*

La misión del Quijote

La misión básica de don Quijote fue adoptar la vida heroica como su estilo natural de ser y de hacer. Admiraba, nuestro protagonista, los famosos héroes de la antigüedad, y particularmente apreciaba a los personajes de los libros de caballería. En su mundo de ilusiones y sueños, descubrió que la vida debía tener un propósito restaurador, una finalidad liberadora. No resistía el hidalgo ser un espectador pasivo en el drama de la vida. Y a sus ideas, en efecto, incorporó un sentido amplio de justicia y un apego serio por la verdad, fundamentados en el recuerdo de las hazañas de los protagonistas de los relatos épicos. ¡Había muchos agravios por remediar, y más entuertos que deshacer! El "aumento de su honra" se relaciona, posiblemente, con sus obligaciones morales para con su país. La frase ciertamente puede incluir la idea de servir a la sociedad como un deber moral.

Ese entorno mágico y fabuloso afectó seriamente la vida de don Quijote: ¡Decidió vivir para satisfacer sus necesidades básicas, que consistían en encarnar el bien y luchar contra todo género de males! Se manifiesta temprano en su transformación una vocación por la justicia que le acompañará el resto de su vida. La misión del hidalgo se menciona clara y continuamente en la obra, pues "no quiso aguardar más tiempo a poner en efecto su pensamiento, apretándolo a ello la falta que él pensaba que hacía en el mundo su tardanza, según eran los agravios que pensaba deshacer, tuertos que enderezar, sinrazones que enmendar, y abusos que mejorar, y deudas que satisfacer" (Tomo I, Cap. II).

El objetivo fundamental del Quijote no fue el de vivir un mundo de aventuras e ilusiones sin sentido de dirección ni propósitos ulteriores, sino el de responder a necesidades reales de personas con problemas concretos y específicos. .

El objetivo fundamental del Quijote no fue el de vivir un mundo de aventuras e ilusiones sin sentido de dirección ni propósitos ulteriores, sino el de responder a necesidades reales de personas con problemas concretos y específicos. Ante la inacción de la gente aparentemente "cuerda", se levanta el hidalgo que del "poco dormir y el mucho leer se le secó el cerebro de manera que vino a perder el juicio". La historia del ingenioso hidalgo don Quijote de La Mancha es el relato de la lucha del bien contra toda suerte de males y fuerzas que angustian, encadenan y oprimen a la humanidad.

La misión del hidalgo es un tema fundamental en la obra. Sancho, en su estilo simple, llano y pintoresco, le echa la bendición a don Quijote, y le dice: "¡Dios te guíe... flor, nata y espuma de los caballeros andantes! ¡Allá vas, valentón del mundo, corazón de acero, brazos de bronce!" (Tomo II, Cap. XXII). Y el hidalgo, al explicar la naturaleza ética de sus actos, indica: "Hemos de matar en los gigantes a la soberbia; a la envidia, en la generosidad y buen pecho; a la ira, en el reposado continente y quietud de ánimo; a la gula y al sueño, en el poco comer que comemos y en el mucho velar que velamos; a la lujuria y lascivia, en la lealtad que guardamos a las que hemos hecho señoras de nuestros pensamientos; a la pereza, con andar por todas las partes del mundo, buscando las ocasiones que nos puedan hacer y hagan, sobre cristianos, famosos caballeros" (Tomo II, Cap. VIII).

A esa misión heroica del hidalgo se alude continuamente en la obra con expresiones tales como: "¡Oh... caballero don Quijote de La Mancha, ánimo de los desmayados, arrimo de los que van a caer, brazo de los caídos, báculo y consuelo de todos los desdichados!" (Tomo II, Cap. XXV). También se indica que la profesión del caballero andante es "la de favorecer a los necesitados de favor y acudir a los menesterosos" (Tomo II, Cap. XXVII). Y en torno al mismo tema, el hidalgo añade: "He cumplido gran parte de mi deseo, socorriendo viudas, amparando doncellas y favoreciendo casadas, huérfanos y pupilos, propio y natural oficio de caballeros andantes" (Tomo II, Cap. XVI).

Un diálogo íntimo entre don Lorenzo de Miranda —poeta joven y sabio— y don Quijote provee el contexto para una de las descripciones más extensas e íntimas de la misión fundamental de la caballería andante, a la cual alude sistemáticamente el hidalgo en la articulación de su misión en la vida. Don Quijote elogia las habilidades poéticas del joven, y don Lorenzo, ante la sabiduría de su interlocutor, inquiere sobre la educación del hidalgo. Le indica: "Paréceme que vuestra merced ha cursado las escuelas: ¿qué ciencias ha oído?"

A esa pregunta directa y clara, don Quijote respondió: "La caballería andante". Y añadió el hidalgo: "Es una ciencia que encierra en sí todas o las más ciencias del mundo, a causa que el que la profesa ha de ser jurisperito...; ha de ser teólogo...; ha de ser médico...; ha de ser astrólogo...; ha de saber las matemáticas... [...] ha de guardar la fe a Dios y a su dama; ha de ser casto en los pensamientos, honesto en las palabras, liberal en las obras, valiente en los hechos, sufrido en los trabajos, caritativo con los menesterosos, y, finalmente, mantenedor de la verdad, aunque le cueste la vida defenderla" (Tomo II, Cap. XVIII). Esa es la misión a la cual dedica don Quijote su vida.

El capítulo inicial del libro presenta un atisbo, una aproximación de lo que posteriormente vendría, un perfil de la naturaleza de las acciones y la motivación de las empresas quijotescas. No es la cruzada de un desequilibrado mental, sino la misión de alguien que está muy comprometido con el establecimiento de la justicia y la implantación de la verdad. Se funden en una sola vida y misión los estudios profundos del abogado, la capacidad intelectual de los teólogos, la pasión por la salud de los médicos, la persistencia y paciencia de los astrólogos, y la sabiduría e ingenio de los matemáticos. Además, se incluye, en esta fundamental declaración de misión, los valores morales y espirituales que coronan a las vidas de altura, de nobleza y de bien.

Don Quijote era un soñador que tenía por misión fundamental responder al clamor más hondo de la gente en necesidad. Identifica continuamente el hidalgo en sus declaraciones misioneras que la gente importante en su proyecto de vida es la que llora y sufre en la sociedad. La encomienda básica de don Quijote es socorrer a personas marginadas y oprimidas, pues haciendo eso respondía a su verdadera vocación.

... No es la cruzada de un desequilibrado mental, sino la misión de alguien que está muy comprometido con el establecimiento de la justicia y la implantación de la verdad.

Capítulo 2

YO SÉ QUIÉN SOY...

"Yo sé quien soy — respondió don Quijote—,
y sé que puedo ser no solo lo que os he dicho,
sino todos los Pares de Francia,
y aún todos los nueve de la Fama,
pues a todas las hazañas que ellos
todos juntos y cada uno por sí hicieron,
se aventajarán las mías."
Tomo I, Cap. V

Identidad y autoconocimiento

Don Quijote se proclamó caballero (Tomo I, Cap. IV) en una ceremonia llena de humor, que unió la comedia a las tradiciones, costumbres y ritos de la andante caballería; y, posteriormente, comenzaron sus aventuras y peregrinares. Su primer proyecto fue librar al joven Andrés de los castigos y azotes que le infringía su inmisericorde, hostil y despiadado amo. El episodio revela claramente, y desde el principio de sus andanzas, su compromiso serio con la sociedad, específicamente en este caso, con la juventud y la niñez; y demuestra, además, sin lugar a equívocos, la convicción férrea y la seria vocación que tenía el hidalgo con la implantación de la justicia. Don Quijote estaba firmemente decidido a hacer realidad sus anhelos de justicia, aunque sus aventuras le produjeran controversias y le generaran conflictos con gente poderosa.

El incidente con el joven Andrés y su amo ubica a don Quijote al lado de la gente que sufre, y lo relaciona de forma directa con la transformación del ideal a la realidad, con el viaje de lo utópico a lo concreto. La estrella polar, norte que orientaba la vida y la misión del hidalgo era: "agravios que deshacer, tuertos que enderezar, sin razones que enmendar, abusos que mejorar, y deudas que satisfacer" (Tomo I, Cap. II). La razón de ser del hidalgo recién iniciado se articula en la explicación que brinda de la institución y origen de la orden de caballeros andantes: "para defender las doncellas, amparar las viudas, y socorrer a los huérfanos y a los menesterosos" (Tomo I, Cap. XI). Don Quijote tiene una conciencia clara de su propósito en la vida: no vive el hidalgo para satisfacer sus deseos personales, ni tampoco existe para lustrar e inmortalizar su nombre y valentía en la historia; vive para servir y para defender, amparar y socorrer a la gente en necesidad.

Cervantes, posteriormente, narra el encuentro del recién iniciado y valeroso caballero andante con "un grande tropel de gente", que resultó ser un grupo de mercaderes toledanos que iban a comprar seda a Murcia. Requirió nuestro héroe, con mucha firmeza y más autoridad, la confesión pública e inmediata, y, además, el reconocimiento decidido y sin reservas de que la sin par Dulcinea, también conocida como la emperatriz de La Mancha, era la doncella más hermosa del mundo.

Ante el gesto dubitativo de los mercaderes —que deseaban ver a la doncella, para responder a la petición del hidalgo con sabiduría y comprensión, y también con sentido de realidad—, don Quijote se sintió ofendido y agraviado, y arremetió con violencia y furia contra el grupo. Rocinante, sin embargo, a la mitad del camino, tropezó y se cayó, y don Quijote, por su parte, fue a dar al suelo, desorientado y aturdido. Al no poder incorporarse con facilidad, por el gran peso del equipo bélico que llevaba, fue agredido y abatido hasta la saciedad por un mozo de mulas del grupo que no estaba bien intencionado, pues no pudo resistir la oportunidad de dar respuesta con más violencia y hostilidad a las arrogancias y la petición del desconocido y desorientado caballero caído.

Cuando don Quijote se percató que, por causa de la caída y de los golpes que le propinó el mozo, no podía moverse, decidió recordar sus lecturas de los libros de caballería. Mientras traía a la memoria, con gran sentimiento, las heroicas hazañas de los caballeros y héroes antiguos —¡al mismo tiempo que se revolcaba por la tierra de dolor!—, recitaba algunos romances que "dicen decía el herido Caballero del Bosque" (Tomo I, Cap. V). Y así, entre poesía y versos, y también, entre dolores y llantos, prosiguió con sus recuerdos y reflexiones.

Al llegar a la línea que alude al marqués de Mantua, pasó cerca del hidalgo un labrador, vecino suyo, que venía de llevar una carga de trigo al molino. Don Quijote relacionó el contenido y el tema del romance, particularmente la línea del poema que recitaba, con la presencia del labrador, y lo confundió con el mismo marqués descrito y continuó con más intensidad recitando el antiguo romance. Se juntan en la imaginación de don Quijote la realidad y la fantasía, y se produce un diálogo intenso y revelador. Y poco a poco cobra fuerza la imaginación en la vida del hidalgo y la realidad cede ante el paso firme de la fantasía.

El labrador quedó maravillado oyendo los versos, las ideas y los disparates del caído, abatido y herido caballero. Como un nuevo buen samaritano, el labrador se dispuso a ayudarlo. Le quitó la visera rota y le limpió el rostro y, ante su asombro, descubrió que el hombre herido era el señor Quijano, su buen vecino y amigo.

Mientras el labrador trataba de ayudar a don Quijote lo mejor que podía, el ensimismado hidalgo, impresionado por el contenido del romance y profundamente confundido por los golpes y la coincidencia, respondía a las preguntas de su vecino con los temas, las palabras y los personajes del poema. Ante la confusión, el labrador, para ayudar al caballero caído, se identifica con valor y firmeza: "yo no soy don Rodrigo de Narváez, ni el marqués de Mantua, sino Pedro Alonso, su vecino". Y añade, de forma clara, directa, firme, decidida y contundente: "ni vuestra merced es Valdovinos, ni Abindarráez, sino el honrado hidalgo del señor Quijano".

Don Quijote tiene identidad, conoce no sólo quién es, sino reconoce el potencial que tiene para llegar a ser lo que desea ser.

Posiblemente es ante esa clara afirmación de identidad que don Quijote revela una característica fundamental de su personalidad y compromiso en la vida. Se manifiesta como respuesta a las palabras y declaraciones del labrador, amigo del hidalgo, un claro sentido de identidad y lucidez que se va a develar de forma paulatina pero sistemática en toda la obra. Se inicia y subraya en este episodio un preclaro y decidido proceso de autoconocimiento y autoafirmación que proseguirá y aumentará inclusive con las aventuras, los viajes y las desventuras de don Quijote.

"Yo sé quién soy —respondió el Quijote— y sé que puedo ser no sólo lo que os he dicho, sino todos los Pares de Francia, y aún todos los nueve de la Fama, pues a todas las hazañas que ellos todos juntos y cada uno hicieron, se aventajarán las mías" (Tomo I, Cap. V).

Encierra, la afirmación del hidalgo, el corazón de la obra de Cervantes: don Quijote tiene identidad, conoce no sólo quién es, sino reconoce el potencial que tiene para llegar a ser lo que desea ser. En la importante y reveladora afirmación "yo sé quién soy" también se incluye la seguridad de saber quién quiere ser. Se revela de esta forma un ser humano con una conciencia clara de sí mismo y con una adecuada comprensión de su potencial.

El proyecto de don Quijote en la vida no está a la merced del azar, sino que se relaciona con su valentía y sentido de dirección. No es el peregrinar del hidalgo el viaje suicida de algún romántico aventurero, sino la manifestación concreta y clara de una voluntad férrea de servir y contribuir al bienestar de la humanidad.

Su misión fundamental es el deseo vivo y claro de hacer justicia a las personas que la vida y las injusticias de los sistemas políticos, económicos, religiosos y sociales no han favorecido. El propósito básico de don Quijote es responder al clamor de la gente cautiva y desventurada. El proyecto vital del hidalgo se fundamenta en la convicción de que ante el dolor y el cautiverio de la humanidad, la gente de bien no puede estar pasiva, ni puede permanecer silente.

Poseer una autocomprensión adecuada se relaciona con el reconocer las fuerzas que moldean nuestras vidas.

No sólo sabe nuestro héroe quién es, sino que afirma categóricamente que ni aún las hazañas de varios personajes antiguos, reconocidos públicamente por el valor y la nobleza de sus actos, se pueden comparar a las transformaciones y liberaciones traídas por la misión que ejecuta en la vida: "Los doce Pares de Francia" son caballeros escogidos por los reyes de esa nación a quienes reconocen como pares por manifestar todos el mismo nivel de valor, calidad de vida y valentía. Y la frase "los Nueve de la Fama" alude a varios líderes antiguos que demostraron capacidad y heroísmo en momentos de crisis y de dificultad. Eran tres judíos: Josué, David y Judas Macabeo; tres gentiles: Alejandro, Héctor y Julio César; y tres cristianos: el rey Artús, Carlomagno y Godofredo de Bouillón. Los actos heroicos y liberadores de estos personajes de importancia histórica y literaria no pueden compararse con el resultado redentor de las actividades transformadoras de don Quijote. Su conciencia misionera reconocía no sólo el presente y la inmediatez de su actividad, sino su potencial futuro.

La conciencia de don Quijote en torno a su identidad llega a un punto culminante en el segundo tomo de la obra. El episodio aludido describe el segundo enfrentamiento del hidalgo con Altisidora, quien relataba la visión de algunos diablos jugando a la pelota con un libro apócrifo en torno al mismo don Quijote, escrito por un tal Avellaneda. Don Quijote asegura a la señora que debió haber sido ciertamente una visión, pues afirma con seguridad y valentía: "no hay otro yo en el mundo" (Tomo II, Cap. LXX).

La declaración de don Quijote pone de relieve, no sólo la autoconciencia del hidalgo, sino su convicción férrea de que su personalidad es única, irrepetible e insustituible. No hay otro igual, pues la naturaleza de su misión requiere gente única, particular y extraordinaria. Don Quijote entiende que los proyectos de vida liberadores —es decir, los que no escatiman energías, fuerzas, recursos y tiempo en la conquista y actualización de los ideales nobles y gratos de la existencia— requieren personas que no se amilanen ante dificultades ni retrocedan ante fracasos. Esos proyectos transformadores necesitan personajes únicos, gente particular, hombres y mujeres que no le teman al futuro, ni se amedrenten ante las dificultades, ni se angustien ante las respuestas adversas de los grupos.

Salió don Quijote en búsqueda de sí mismo, y, en efecto, descubrió quién era. ¡Ese es el más difícil de los descubrimientos! ¡Esa es la más compleja de las comprensiones! Es muy complicado ciertamente responder a las preguntas fundamentales de la existencia humana. ¿Quién soy? ¿De dónde vengo? ¿Hacia dónde voy? Don Quijote no sólo comprendió quién era, sino que invirtió su vida y dedicó sus energías al proyecto que entendió era la razón de ser de su existencia.

Poseer una autocomprensión adecuada se relaciona con el reconocer las fuerzas que moldean nuestras vidas. La identificación de las experiencias que han afectado nuestra existencia es un proceso complejo, que requiere un nivel muy alto de salud mental. Ese proceso demanda un análisis honesto y franco de la vida, y requiere un diálogo interior. El resultado se manifiesta en sobriedad, sabiduría, seguridad y autoestima.

En sus diálogos con Sancho, don Quijote pone en práctica su sabiduría y revela su adecuada comprensión de la naturaleza humana. Al aconsejarle antes que fuera a gobernar la ínsula, don Quijote le dijo a su fiel escudero: "Primeramente, ¡oh hijo!, has de temer a Dios, porque en el temerle está la sabiduría, y siendo sabio no podrás errar en nada. Lo segundo, has de poner los ojos en quién eres procurando conocerte a ti mismo, que es el más difícil conocimiento que puede imaginarse" (Tomo II, Cap. XLII).

De acuerdo con el hidalgo, el autoconocerse es el más difícil de los conocimientos, pues es el que requiere más salud mental y el que reclama el mayor nivel de seguridad personal. Ese autonococimiento le permitirá decidir con justicia y sabiduría, y le brindará, además, el valor necesario para emprender obras no populares, pero que son necesarias para el bienestar de la comunidad.

Sancho reconoció esas virtudes morales en don Quijote, y exclamó: "¡Dios te guíe, flor, nata y espuma de las caballeros andantes! ¡Allá vas, valentón del mundo, corazón de acero, brazos de bronce! ¡Dios te guíe, otra vez!, y te vuelva libre, sano y sin cautela a la luz de esta vida, que dejas, por enterrarte en esta oscuridad que buscas" (Tomo II, Cap. XXII).

Conciencia teológica del Hidalgo

En torno a su identidad y autoconciencia, don Quijote, con seguridad y firmeza, y próximo a culminar la primera parte de su obra, declara: "De mí sé decir que después que soy caballero andante, soy valiente, comedido, liberal, bien criado, generoso, cortés, atrevido, blando, paciente, sufridor de trabajos de prisiones, de encantos" (Tomo I, Cap. L).

Ese párrafo de autoafirmación es fundamental en el estudio del proyecto quijotesco. Revela un claro desarrollo en la autoconciencia del hidalgo. Posteriormente, el hidalgo declara sin ambigüedades, al tratar de explicar la fuerza que le permite emprender sus proyectos liberadores, el fundamento de su valentía: El valor de su brazo y el favor del cielo. Su identidad se ancla en el esfuerzo personal y se nutre de la gracia divina. Esos dos principios cardinales determinarán en gran medida los componentes indispensables del proyecto quijotesco: El trabajo, la dedicación y el esfuerzo, unidos a la misericordia y el amor de Dios.

> *No va don Quijote al porvenir sin sentido de dirección ni propósitos. No lo orienta al futuro un espíritu desorientado y enajenante. Su autoconciencia está muy clara. No sólo es un caballero andante, sino que le caracterizan virtudes sociales, éticas, morales y espirituales...*

Se subraya el trabajo y la devoción a las causas nobles. No se sentó don Quijote a contemplar la vida para criticar sus dificultades y rechazar sus crisis, sino que se incorporó a la realidad. El hidalgo, lejos de ser un espectador pasivo de la vida, es un protagonista destacado. No es un liberador teórico ni un revolucionario de oficina; don Quijote optó por responder con valentía, honor y compromiso con los necesitados. La existencia humana no se enfrenta a la defensiva, sino con autoridad y sentido de triunfo y determinación.

La segunda fuerza que genera su espíritu aventurero y liberador es la gracia de Dios. Como buen cristiano, don Quijote relaciona la voluntad divina con las empresas que responden a las necesidades de la gente. Ese sentido teológico se manifiesta sistemáticamente en la obra, pero toma dimensión nueva y grata con la siguiente afirmación del caballero: "Así, que somos ministros de Dios en la tierra y brazos por los que se ejecuta en ella su justicia" (Tomo I, Cap. XII).

La misión fundamental de don Quijote es una de corte esencialmente teológico y religioso: Ser ministro de Dios en la tierra y embajador de la justicia en la humanidad. Las fuerzas vivas que incentivan los peregrinares transformadores del Caballero de la Triste Figura se basan en una percepción religiosa de la vida, se fundamentan en convicciones espirituales. Cervantes relaciona de esta forma, en la figura de don Quijote, dos temas de singular relevancia e importancia en lo que podemos describir como teología contextual: El ministerio religioso está íntimamente relacionado con la implantación de la justicia.

La buena teología no es únicamente especulativa y contemplativa sino práctica, pertinente, relevante. La verdadera teología es la que responde a realidades concretas y a necesidades específicas. La implantación de la justicia es esencialmente una buena empresa religiosa, una manifestación tangible y real de una experiencia teológica y espiritual saludable y bien entendida.

El proyecto quijotesco es misionero, pues al describir la orden de caballería a la cual pertenece, dice con seguridad que existe para "defender las doncellas, amparar las viudas y socorrer a los huérfanos y menesterosos" (Tomo I, Cap. XI). Y añade, referente al mismo tema, que su oficio es "desfacer fuerzas y socorrer y acudir a los miserables" (Tomo I, Cap. XXII). Ese tema de socorrer a los menesterosos y necesitados es, en efecto, muy importante en las Sagradas Escrituras.

El mismo tema teológico continúa elaborándose en un episodio muy simpático y revelador, cuando el hidalgo interviene con los guerreros del pueblo del rebuzno para evitar una guerra (Tomo II, Cap. XXVII). El discurso de don Quijote comienza con su afirmación misionera tradicional: Mi profesión, decía, es la de "favorecer a los necesitados de favor y acudir a los menesterosos". Y a esta consideración inicial añade argumentos magníficos, con la intención de convencer al grupo guerrero de que no se debía ir a la guerra por causas triviales, superficiales, no sustanciales, a las que don Quijote llama "niñerías".

Esos actos de agresión inadecuada y de hostilidad impropia se contraponen, según el discurso del hidalgo, a lo que manda "la santa ley que profesamos". La violencia se identifica como impropia e injusta. Esa oportunidad es la que utiliza magistralmente Cervantes para poner de relieve varios postulados de gran significación teológica.

De acuerdo con el discurso, la ley divina nos manda a "que hagamos bien a nuestros enemigos y que amemos a los que nos aborrecen". Esa conocida frase evangélica es el fundamento para el discurso y la interpretación teológica quijotesca. Aunque el mandamiento es difícil de cumplir, añade el hidalgo, Dios no nos va a ordenar hacer cosa alguna que fuese imposible cumplir. Se revela, en el comentario interpretativo, la capacidad práctica y pastoral de Cervantes.

Entre los argumentos y las declaraciones del Quijote se incluyen, además, ideas y conceptos de gran importancia religiosa y de vital profundidad teológica. Jesucristo es descrito como "Dios y hombre verdadero", en una afirmación clara de la ortodoxia cristiana. Y la gente que no desea cumplir los mandamientos divinos se describe como personas que tienen "menos de Dios que del mundo". El discurso a los guerreros del pueblo del rebuzno, manifiesta una dimensión religiosa clara, e inclusive homilética, y finaliza con un magnífico llamado a sosegarse y a deponer las armas.

"El diablo me lleve —dijo a esta sazón Sancho entre sí— si éste mi amo no es tólogo". Con esa exclamación y admiración, Sancho relaciona, una vez más, la misión de don Quijote con la teología. El fiel escudero interpretó correctamente la naturaleza del discurso y describió el mensaje de su amo como teología buena, sabia y efectiva, pues puso el análisis religioso al servicio de la paz.

La teología verdadera, de acuerdo al texto Cervantes, es la que trabaja para implantar la paz y colabora para establecer sistemas adecuados que generen respeto, dignidad y justicia.

La teología adecuada es la que tiene implicaciones liberadoras, concretas e inmediatas para la gente que tiene necesidad. La buena teología es la que se preocupa y ayuda a las personas que sufren. No es la que divaga por el mundo de la especulación y la contemplación, sin implicaciones prácticas, transformacionales y reales para las personas oprimidas.

La teología verdadera, de acuerdo al texto de Cervantes, es la que trabaja para implantar la paz y colabora para establecer sistemas adecuados que generen respeto, dignidad y justicia.

En torno al tema de la teología en don Quijote, debemos incluir lo que sucedió a nuestro héroe en la casa del Caballero del Verde Gabán (Tomo II, Cap. XVIII). Mientras el hidalgo discutía sobre la poesía y los poetas, y demostraba gran sabiduría en su evaluación de los temas expuestos, don Lorenzo le preguntó por su educación: "Paréceme que vuestra merced ha cursado las escuelas: ¿qué ciencias ha oído?" A lo que respondió don Quijote: "La de la caballería andante".

"Es una ciencia —replicó don Quijote— que encierra en sí todas o las más ciencias del mundo…". El hidalgo, en la respuesta a su interlocutor, indica, además, que el caballero andante "ha de ser teólogo, para saber dar razón de la cristiana ley que profesa, clara y distintamente, a dondequiera que le fuere pedido…". Y posteriormente añade: "…ha de guardar la fe a Dios y a su dama; ha de ser casto en sus pensamientos, honesto en las palabras, liberal en las obras, valiente en los hechos, sufrido en los trabajos, caritativo con los menesterosos, y, finalmente, mantenedor de la verdad, aunque le cueste la vida defenderla".

El componente religioso y misionero de la obra de don Quijote no puede ser ignorado ni mucho menos subestimado. De un lado, se destaca la particularidad teológica en la formación de los caballeros andantes. Del otro, se articula esa teología desde una perspectiva práctica, pertinente y concreta. La teología, para la obra de Cervantes, no es únicamente abstracta, ni se fundamenta en lo hipotético inalcanzable. Por el contrario, es contextual, inmediata y relevante. Es la traducción de los buenos postulados filosóficos y religiosos a categorías prácticas y concretas bien definidas y claras.

Entre las virtudes teológicas que se identifican y destacan en los relatos, se encuentran las siguientes: La castidad, la honestidad, la liberalidad, la valentía, el sufrimiento, la caridad, la verdad y el martirio. No es una teología, la del Quijote, que juega y queda cautiva en el mundo de la especulación, sino una que vive y se nutre en medio de las realidades cotidianas. La teología en don Quijote es un estilo de vida, una forma de ser, una manera de enfrentar la existencia. No es contemplación que se inhibe y rechaza la acción, sino compromiso que mueve a incorporarse activamente en la transformación de las causas que producen angustia y desesperanza en la humanidad.

La teología de don Quijote es buena, en efecto, pues genera "consejo en las dudas, alivio en las quejas, (y) remedio en los males" (Tomo I, Cap. XXVIII). Y se demuestra de forma concreta y práctica: en "la virtud, siendo afable, bien criado, cortés y comedido, y oficioso; no soberbio, no arrogante, no murmurador, y, sobre todo, caritativo" (Tomo II, Cap. VI).

Es una teología viva y contextual, que genera esperanza y liberación en la gente. No se fundamenta ni tiene como objetivo último la transmisión de información, sino la transformación de las personas servidas y la formación de gente con una nueva y renovada perspectiva de la vida.

Capítulo 3

LOCO SOY, Y LOCO HE DE SER…

"En efecto, rematado, ya su juicio,
vino a dar con el más extraño pensamiento
que jamás dio loco en el mundo,
y fue que le pareció conveniente y necesario…
hacerse caballero andante…
deshaciendo todo género de agravios…"
Tomo I, Cap. I

La locura de la misión

El tema de la locura es fundamental en la obra de Cervantes, particularmente con relación a su famoso personaje: don Quijote de La Mancha. Siendo un hombre maduro, luego de haber vivido medio siglo, este hombre decide un buen día abandonar todo lo que constituía su vida y sentido de seguridad —hogar, pertenencias, amistades y familia—, para dedicarse a una peregrinación aparentemente descabellada, fortuita y al azar. El fundamento de su decisión era ¡poner en práctica lo que había leído en los libros de caballeros andantes!

Don Quijote, nos dice Cervantes, "se daba a leer libros de caballería con tanta afición y gusto, que olvidó casi de todo punto el ejercicio de la caza, y aún la administración de su hacienda…" Y se añade, en tono lapidario, referente a su forma de ser y estilo de vida: "Con estas razones perdía el pobre caballero el juicio…".

Se enfrascó don Quijote tanto en la lectura de obras de caballería "que se le pasaban las noches leyendo de claro en claro, y los días de turbio en turbio; y así, del poco dormir y del mucho leer se le secó el celebro de manera que vino a perder el juicio" (Tomo I, Cap. I). ¡Nuestro personaje irrumpió en el mundo de la caballería andante de forma intensa y radical!, y el resto de su vida pasó a un plano secundario. El hidalgo susodicho se nos representa en la obra como un maniático muy valiente que imagina que las cosas que leyó en la literatura caballeresca se hacen realidad ante su vista y, al obedecer los engaños de su imaginación, se enfrasca en las aventuras más disparatadas.

Los libros de caballerías habían afectado al hidalgo a tal punto que la importante y necesaria frontera entre la razón y la locura se esfumó. En la imaginación de don Quijote, se hizo impreciso, vago e indeciso el lindero entre la realidad y la fantasía. Las "soñadas invenciones" de esos libros novelescos de caballería penetraron en la mente del Quijote como si fueran "verdad". Lo imaginario irrumpe en la vida diaria y se produce un personaje que tiene la capacidad de ser y analizar la existencia con los ojos de un alucinado. La vida toda del caballero se llenó de esos pensamientos, y Cervantes dice, que: "En efecto, rematado ya su juicio vino a dar con el más extraño pensamiento que jamás dio loco en el mundo".

Desde el inicio mismo de la obra se revela la actitud un tanto ilógica del sobredicho personaje: El señor Quijada, Quesada o Quijano se movía de la realidad a la fantasía de forma gradual, ante la asombrada vista de sus amigos y familiares. La reacción de las personas que rodeaban y apreciaban al hidalgo es de rechazo a este nuevo estilo de vida y actitudes, pues interpretaban esos pensamientos y deseos como manifestaciones de insanidad y de locura. Entendían los dichos, gestos y actos del hidalgo como descabellados e impropios.

Sin embargo, don Quijote renuncia a todo lo que posee y se proyecta al porvenir en un viaje que requiere el gran sacrificio de su vida. No se detiene ni cambia de opinión ante el consejo de familiares y amigos, pues está convencido de que su misión en la vida no era permanecer estático y cautivo en su hacienda. Tenía su mente llena de "encantamientos como de pendencias, batallas, desafíos, heridas, requiebros, amores, tormentas y disparates imposibles" (Tomo I, Cap. I). Se apoderó del hidalgo, además, un sentido profundo de urgencia que "no quiso aguardar más tiempo a poner en efecto su pensamiento, apretándole a ello la falta que él pensaba que hacía en el mundo su tardanza, según eran los agravios que pensaba deshacer, tuertos que enderezar, sinrazones que enmendar, y abusos que mejorar, y deudas que satisfacer" (Tomo I, Cap. II).

En torno al amor de Dulcinea, el relato de la Sierra Morena revela un componente adicional y extraordinario de la locura del hidalgo. Por imitar al caballero Amadís de Gaula, don Quijote decide hacer una serie de locuras, gestos y actos, que le parecen inapropiados e imprudentes al fiel escudero. Ante los consejos y las recomendaciones de Sancho, don Quijote responde con seguridad: "Loco soy, y loco he de ser hasta tanto tú vuelvas con la respuesta de una carta que contigo pienso enviar a mi señora Dulcinea" (Tomo I, Cap. XXV).

El análisis de la locura de don Quijote requiere detenimiento y ponderación pues posiblemente es uno de los ejes que permite una interpretación adecuada de la obra. Es una locura, la del hidalgo, peregrina, idealista, aventurera, misional. No salió el caballero de la realidad ni de su estancia para evadir sus responsabilidades; ni se desajustó emocionalmente como resultado de alguna enfermedad sicosomática. No era tampoco el Caballero de la Triste Figura un loco tonto, ni mucho menos un demente suicida y enajenado. Su locura le llevó y produjo, en efecto, el reconocimiento de su capacidad intelectual, la manifestación de su extraordinaria voluntad de servir, la revelación de un ser humano ejemplar.

La locura de don Quijote es claramente descrita como un ministerio religioso, una forma adecuada de implantar la justicia (Tomo I, Cap. XIII).

La locura del hidalgo se fundamenta en el vivo, grato y noble deseo de traducir a la realidad las aventuras fantásticas de los héroes de los libros de caballerías. El propósito de su incursión en el mundo de la aparente demencia es responder a las necesidades de la gente que vive en dolor y no tiene quién les defienda y ayude. La locura de don Quijote es claramente descrita como un ministerio religioso, una forma adecuada de implantar la justicia (Tomo I, Cap. XIII).

No era su locura una burla ni un vejamen, pues le brindaba una capacidad extraordinaria de ver más allá de las apariencias. Era una particular condición producida por la madurez de espíritu, por el crecimiento intelectual, por el desarrollo emocional y, en efecto, por la grandeza de alma.

Fuera de sus manías y aventuras, por su parte, don Quijote habla como hombre prudente, cuerdo y sabio. Muchos de sus discursos son joyas de la argumentación lógica y sus recomendaciones y consejos incentivan decisiones y reflexiones que están conformes con la razón, la sabiduría y la inteligencia. Además, sus repetidos consejos son dignos de leerse, estudiarse y aquilatarse, pues ponen de manifiesto y de relieve niveles insospechados de creatividad e inteligencia.

¡Don Quijote era un loco sublime y genial! Y esa locura propició el ambiente necesario para que el hidalgo llegara a las más altas cumbres de la sabiduría y la autoafirmación.

La misión de la locura

Esa relación íntima entre su particular estado mental y el propósito fundamental de su misión llega a un punto extraordinario en una descripción e interpretación que se da de nuestro personaje. Don Quijote es un "loco entreverado, lleno de lúcidos intervalos" (Tomo II, Cap. L); es decir, un loco con juicio, un loco razonador.

Se juntan en don Quijote una serie de fuerzas que producen un personaje complejo y extraordinario. Tiene la capacidad y la voluntad de moverse del plano de lo normal y cotidiano a niveles imaginarios y sublimes, para regresar posteriormente a la vida diaria con alguna buena enseñanza, o para poner de manifiesto algún valor grato y noble de la vida. Se revela y se funde en este personaje un aluvión de energías morales, éticas, espirituales y físicas, que ponen al servicio de la justicia, a la merced del bien, a los pies de la gente en necesidad.

La locura del Quijote se basa en el rechazo claro y absoluto de la opresión y el cautiverio de la gente que Dios ha hecho libre. Se expuso a la humanidad, porque el hidalgo fundamentaba su proceder en la justicia, la nobleza y la libertad. Sus actos eran la manifestación pública de una voluntad decidida.

> *La locura del Quijote se basa en el rechazo claro y absoluto de la opresión y el cautiverio de la gente que Dios ha hecho libre.*

Don Quijote no es un loco cautivo en la superficialidad, ni un demente hostil, ni un maniático despiadado, sino un buen sujeto que piensa, sueña, pondera, reflexiona, siente, ama y perdona. Su locura no lo mueve a la reclusión, ni a la contemplación, ni tampoco al suicidio; lo lleva a la acción, a la aventura, a la conquista de sus ideales. Esa locura lo hace salirse de sí y de su hacienda para convertirse en un héroe verdadero, pues en realidad el hidalgo era la manifestación grata de un espíritu maduro, la actualización de un ser humano extraordinario que ha decidido servir y apoyar a la gente necesitada. En el hidalgo operaban las buenas fuerzas de la acción que generan personas de espíritu aventurero, genial y decidido.

En un mundo donde imperan injusticias y opresiones, únicamente un demente como don Quijote se da a la tarea de hacer valer la justicia e implantar la paz. En una sociedad de clases y marginaciones, sólo un loco desea servir de agente de liberación a los menesterosos y agraviados. En un mundo impersonal e irresponsable, únicamente alguien fuera de sus cabales se da a la tarea de escuchar los dolores del alma y atender las angustias del corazón. En una época en la cual la tiranía se manifiesta de forma rampante, en un momento en el cual se viven continuamente las desesperanzas familiares. Y en un instante en el cual se revelan de día en día las más profundas contradicciones, angustias y dolores humanos, se requieren personas que crucen las líneas de la llamada "salud mental", para convertirse en agentes de consolación, mensajeros del bienestar y profetas de la liberación.

Ante un pueblo herido y en agonía, se requieren hombres y mujeres de bien, que sean capaces de traspasar los linderos de los convencionalismos lógicos, y se atrevan a vivir de acuerdo con los reclamos de la gente que sufre "con hambre y sed de justicia". Tomó riesgos don Quijote, pues a esas personas no les detienen las complejidades de los proyectos, sino las motiva el poder ver la meta lograda.

En la sociedad que vivía Cervantes, y en la que su personaje don Quijote se desarrolla, la locura del hidalgo era imposible para las personas reconocidas como racionales y sobrias, para la gente que hace todo de acuerdo con el análisis ponderado y el ejercicio adecuado de la razón, para individuos que responden únicamente a las estipulaciones aceptadas. Ese tipo de sociedad, y en efecto, este tipo de persona que vive de acuerdo con esos patrones, reaccionan según lo establecido y aceptado.

La gente que se siente bien en esos entornos forma parte de un coro, nunca son solistas: ¡Son las personas que cantan la música que alguien determinó y seleccionó, y siguen el mismo ritmo que identificó el resto del grupo! Esa es la llamada gente "¡saludable y ajustada!". Viven de acuerdo con los patrones de comportamiento aceptados. Son los que "entienden", y a veces hasta "justifican" las injusticias en el mundo. Y son, además, los que aceptan como "normales" los dolores de los necesitados, ignoran o rechazan las lágrimas de los marginados, y combaten los programas transformadores y a la gente visionaria. Esas personas "sobrias y normales" son las que intentan eliminar a la gente como don Quijote, que no estaba cautivo en los convencionalismos, ni mucho menos estaba encadenado a lo que se le indicaba que era bueno y aceptado.

La locura de don Quijote era la traducción de un sueño a la realidad, era el anhelo firme y decidido de vivir un ideal, era el deseo noble y grato de hacer el bien. La insanidad del hidalgo era el rechazo a toda forma de opresión y cautiverio. "A los caballeros andantes, decía a la sazón, no les toca ni atañe averiguar si los afligidos, encadenados y opresos que encuentran por los caminos van de aquella manera, o están en aquella angustia, por sus culpas, o por sus gracias;

sólo les toca ayudarles como a menesterosos, poniendo los ojos en las penas..." (Tomo I, Cap. XXX).

Su demencia consistía en cambiar radicalmente su estilo de vida para incorporar en sus pensamientos, actitudes, decisiones y actividades, un programa diferente, una forma de ser alternativa al patrón regular de su sociedad.

La llamada "locura" de don Quijote se relaciona con el rechazo abierto, decidido y claro a los estilos de vida superficiales, cautivos y opresores. En torno al tema de las formas de ser y la identidad, don Quijote le reveló a unos cabreros el fundamento de su sentido misional: Soy de la orden de caballería andante que tiene como propósito fundamental "defender las doncellas, amparar las viudas, y socorrer a los huérfanos y a los menesterosos" (Tomo I, Cap. XI).

La locura de don Quijote era la traducción de un sueño a la realidad, era el anhelo firme y decidido de vivir un ideal, era el deseo noble y grato de hacer el bien.

La locura del Quijote se basaba en hacer el bien a la gente en angustia. Su demencia le hizo saber quién era, y le llevó en un viaje de un hidalgo común, hasta llegar a terrenos donde se manifiestan las más altas y sublimes significaciones espirituales.

LOCO, PERO GRACIOSO; VALIENTE, PERO DESGRACIADO; CORTÉS, PERO IMPERTINENTE

Con relación a la locura de nuestro personaje, un diálogo entre don Quijote y Sancho es ciertamente revelador. Al inicio mismo del segundo tomo de la obra, don Quijote se muestra muy preocupado por conocer la opinión que de él tiene la comunidad (Tomo II, Cap. II). Con esa finalidad, le pregunta a su fiel escudero: "Sancho amigo: ¿Qué es lo que dicen de mí en este lugar? ¿En qué opinión me tiene el vulgo, en qué los hidalgos y en qué los caballeros? ¿Qué dicen de mi valentía, qué de mis hazañas y qué de mi cortesía?"

Ante las preguntas insistentes y continuas del famoso Caballero de la Triste Figura, el noble escudero respondió: "El vulgo tiene a vuestra merced por grandísimo loco...". Y posteriormente añade: "En lo que toca a la valentía, cortesía, hazañas y asunto de vuestra merced, hay diferentes opiniones: unos dicen: "Loco, pero gracioso"; otros; "Valiente, pero desgraciado"; otros; "Cortés, pero impertinente"; y por aquí van discurriendo en tantas cosas, que ni a vuestra merced ni a mí nos dejan hueso sano".

Ese fue el contexto de una afirmación extraordinaria de don Quijote: "Mira, Sancho, donde quiera que está la virtud en eminente grado, es perseguida". Este diálogo relaciona la locura de don Quijote con su valentía, cortesía y hazañas; e identifica, además, las reacciones y los comentarios de la comunidad. Para algunos, el hidalgo era loco, valiente y cortés; para otros, gracioso, desgraciado e impertinente. Sin embargo, es el hidalgo el que identifica e interpreta con claridad de espíritu e inteligencia el corazón de la crisis de la sociedad. Cuando la virtud se pone de manifiesto de forma extraordinaria, es perseguida, ofendida y vituperada.

La reacción del hidalgo es fundamental para comprender las actitudes de las sociedades ante personajes como don Quijote. En vez de reconocer y apreciar la manifestación de la bondad, la gente prefiere reaccionar adversamente ante el bien. Ante gente que no se acomoda a lo establecido, y frente a personas que rechazan los cautiverios como normales y aceptables, los pueblos prefieren perseguir y desacreditar a las personas de espíritu hidalgo, de genio emprendedor, de corazón altruista, de sentido misionero, de vocación profética. Cuando la virtud se manifiesta de forma extraordinaria, la gente cautiva y opresora prefiere callar, ofender, agredir, rechazar y perseguir a los que no sólo sueñan un mejor prevenir, sino que han decidido hacerlo realidad.

El episodio de la liberación de los galeotes (Tomo I. Cap. XXII) brinda muchísima luz en la comprensión de la locura misionera del hidalgo. De acuerdo con el relato de Cide Hamete Benegeli, descrito en la obra como autor arábigo y manchego, don Quijote y Sancho se toparon con un grupo de hombres a pie, "ensartados como cuentas en una gran cadena de hierro por los cuellos, y todos con esposas en las manos". Sancho explicó al hidalgo la naturaleza, peculiaridad y complejidad de la situación. Era una cadena de galeotes, es decir, gente forzada por el rey, que iban a trabajar arduamente a las galeras de los barcos, para cumplir las condenas por sus delitos.

Ante la explicación del escudero, y en respuesta al hecho de que era gente "forzada por el rey", don Quijote se preocupa por el grupo y comienza un diálogo revelador con los guardias y los encadenados. Se pone de manifiesto en esas conversaciones y reflexiones la miseria humana, se revelan las complejidades de la vida, se descubren los dolores indecibles de la gente. Muestra, el episodio, además, la extensión de la misión de don Quijote, pues decía: "aquí encaja la ejecución de mi oficio: deshacer fuerzas y socorrer y acudir a los miserables".

Luego de escuchar las explicaciones de los cautivos, y de rechazar las intervenciones e interpretaciones de los guardias, don Quijote quedó convencido de que debía ayudar al grupo encadenado y cautivo. Al analizar la naturaleza de los delitos, y ponderar la extensión de las condenas, el hidalgo comprendió que no había proporción alguna entre ellas y determinó que debía finalizar con la situación de cautiverio.

"Todo lo cual se me representa a mí ahora en la memoria —decía don Quijote— de manera que me está diciendo, persuadiendo y aun forzando, que muestre con vosotros el efecto para que el cielo me arrojó al mundo, y me hizo profesar en él la orden de caballería que profeso, y el voto que en ella hice favorecer a los menesterosos y opresos de los mayores."

Ante la miseria humana, el hidalgo no reparó en rechazar, aún en contra de la orden oficial del rey, la aplicación de la ley, que según su parecer era injusta. Obedecer la ley de su conciencia era más importante para don Quijote que aceptar la orden real. Sobre este importante tema añade el hidalgo: "porque me parece duro caso hacer esclavos a los que Dios y naturaleza hizo libres". Se descubre en esta afirmación el fundamento teológico de su decisión y la base religiosa de su voluntad misionera. La liberación humana no es únicamente un proyecto político, económico y social, sino una empresa esencialmente religiosa, teológica y espiritual.

Don Quijote respondió prioritariamente al dolor humano y rechazó de forma pública la aplicación de la justicia que ignora este componente impostergable y fundamental: Dios hizo a la gente libre, y la justicia debe tomar ese importante postulado teológico y humano en consideración.

Lo aparentemente adecuado, lo políticamente correcto y lo "cuerdo", ante el nefasto drama de los galeotes, era permitir que aquellos hombres continuaran sus miserias y penurias hacia las galeras, sin ninguna intervención liberadora ajena. Lo "lógico" y "sano", de acuerdo con los criterios de la época, era aceptar que los cautivos continuaran sus vidas miserables para cumplir sus condenas.

Sin embargo, don Quijote, "el loco desatado" y "maniático impertinente", no reaccionó de acuerdo con la lógica aceptada por la sociedad, ni mucho menos aceptó la interpretación jurídica de los guardias. Vio en los cautivos el potencial que les brindaba la misma naturaleza humana. El Caballero de la Triste Figura leyó en el dolor y las miserias de los cautivos el hambre de liberación, el deseo de libertad, el anhelo de vida. Su "locura" se basaba en la aceptación de un importante, extraordinario y fundamental postulado teológico: ¡Dios no crea gente cautiva, sino libre!

La locura del hidalgo se fundamenta en el rechazo a los estilos de vida y formas de ser que favorecen a los poderosos, en contra del bienestar, la felicidad y la auto-realización de los menesterosos.

El programa liberador de don Quijote se fundamentaba en ese axioma básico de la justicia divina: La esclavitud no debe ser el entorno normal de los seres humanos, sino la libertad. La locura del hidalgo se fundamentaba en una gran verdad espiritual: El cautiverio no constituye la voluntad de Dios para los individuos y los pueblos. El héroe, en este episodio, se eleva y se desenvuelve con soltura en una altura espiritual y una nobleza de alma sobrehumana.

Esa actitud liberadora, y ciertamente el compromiso decidido con la justicia, que se fundamentaba en una percepción teológica de la vida, es lo que movía a don Quijote a no permanecer más en el mundo de las injusticias y los cautiverios. Lo que se denominaba como normal y adecuado por una sociedad desorientada por las desigualdades y cautiva en las injusticias, era abiertamente rechazado por nuestro personaje, que se convirtió en el paladín de los necesitados y el campeón de los menesterosos. Don Quijote desarrolla su proyecto misionero en una sociedad que experimenta la vida y la existencia como problema y la siente como una preocupación agónica.

Dios hizo a la gente libre, y la justicia debe tomar ese importante postulado teológico y humano en consideración.

La locura del hidalgo se fundamente en el rechazo a los estilos de vida y formas de ser que favorecen a los poderosos, en contra del bienestar, la felicidad y la autorealización de los menesterosos. La insanidad del Caballero de la Triste Figura nace en la no aceptación y el repudio de los cautiverios de la gente que Dios y la naturaleza habían creado de forma libre. Don Quijote es llamado loco porque no se amilanó ante las injusticias, ni ignoró el clamor de los necesitados, ni se detuvo ante los reclamos de una sociedad que discrimina y permite la marginación y el cautiverio. Su locura se relaciona íntimamente con la firme convicción de que las grandes transformaciones y liberaciones en la vida y en las sociedades requieren personas que, en primer lugar, sueñen el porvenir e imaginen el futuro justo y equitativo. Además, se asocia con gente que se compromete a trabajar de forma ardua y efectiva para hacer de esos sueños la realidad cotidiana.

Era loco don Quijote, en efecto, porque creyó en el potencial humano, y se dedicó a salvaguardar la libertad y la dignidad de su pueblo... Era loco, porque no aceptó el cautiverio como una forma adecuada de ser y de vivir... Era loco, porque dedicó sus fuerzas, energías, recursos, talentos y tiempo para responder al dolor humano y acudir con responsabilidad y valentía a los clamores de la gente en necesidad... Era loco, porque no quedó cautivo en lo que le dictaba la sociedad y el bienestar de su época... Era loco, porque decidió proyectar sus ideales y proyectos redentores con fuerza al futuro... Era ciertamente loco... porque a la gente que se niega a vivir encadenada, y no se resigna a pernoctar en cautiverios y, en efecto, decide comenzar proyectos liberadores al porvenir, las sociedades y las personas "aparentemente" cuerdas, las identifican con la demencia.

Poseía don Quijote la locura de un sabio, la demencia de un hombre prudente y discreto, la insanidad del que manifiesta un juicio ponderado y reflexivo, la enfermedad mental del que posee un espíritu maduro, serio, desarrollado. No era un loco necio el hidalgo, sino un hombre serio con la voluntad, el deseo, la virtud y el compromiso de una misión. Don Quijote está "loco" porque cree que la justicia es posible y que, además, es su deber implantarla en la tierra.

El gran Pasamonte, que posteriormente se convirtió en el maese Pedro, articula elocuentemente la percepción y la actitud de la llamada sociedad "sobria y saludable". Ante el gesto genial, heroico y noble del hidalgo, comenta que don Quijote "había cometido el disparate de querer darles la libertad" a los que llevaban cautivos a los trabajos forzosos de las galeras del rey (Tomo I, Cap. XXII). ¡Don Quijote cometió la impertinencia, el disparate y la imprudencia de desear que la gente viviera sin cadenas! ¡Se le ocurrió la locura de contribuir al proyecto liberador de los cautivos!

En fin, don Quijote cometió el imperdonable y loco gesto de sacrificar hacienda, comodidades y fama, para dar la vida por sus amigos, por su comunidad y por su pueblo. Su locura fundamental fue haber descubierto no sólo un motivo grato para vivir, sino una buena razón para invertir todo su ser, ¡y hasta morir! Y, en torno a su misión, exclamaba don Quijote, ante quienes le preguntaban: "de esa orden de caballería soy".

Capítulo 4

DULCINEA DEL TOBOSO, LA SIN PAR EMPERATRIZ DE LA MANCHA

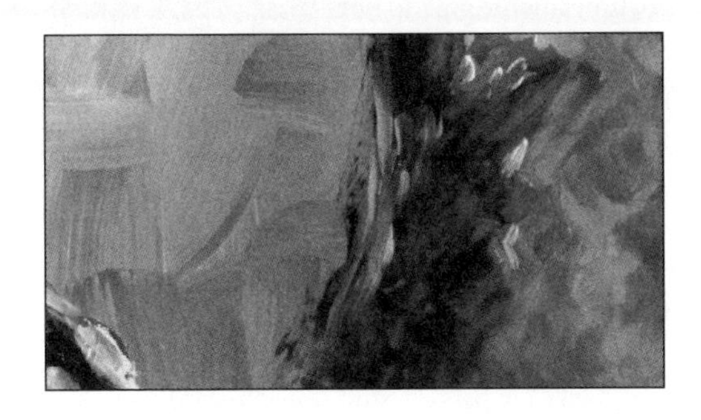

"¿Quién pensáis que ha ganado este reino...
si no es el valor de Dulcinea,
tomando a mi brazo por instrumento de sus hazañas?
Ella pelea en mí, y vence en ella, y tengo vida y ser."
Tomo I, Cap. XXX

Las aventuras en el antiguo y conocido campo de Montiel

No aguantó más don Quijote, y "sin dar parte a persona alguna de su intención, y sin que nadie la viese, una mañana, antes del día" se dio al camino a poner en efecto su pensamiento (Tomo I, Cap. II). Andaba el hidalgo en busca de aventuras, y estaba con grandísimo contento y alborozo de ver con cuánta facilidad había dado principio a su buen deseo, aunque no le ocurrió nada que enorgulleciera al novel caballero andante.

Cabalgaba don Quijote sobre Rocinante, en medio del caluroso mes de julio, cuando le asaltó repentinamente un pensamiento terrible: ¡No había sido armado caballero, conforme a la ley de caballería! La implicación era inmediata, nefasta y clara: ¡No podía comenzar su propósito liberador, sin haber ganado el derecho a defender el honor de los desvalidos por su esfuerzo, valentía y voluntad! Ese pensamiento le hizo titubear en su propósito. Sin embargo, pudo más su locura que otra razón alguna, y propuso de hacerse armar caballero del primero que topase. Y así, prosiguió su camino sin sentido de dirección alguno, únicamente guiado por el deseo de Rocinante, por el antiguo y conocido campo de Montiel.

El campo de Montiel le provee al caballero la posibilidad de aventura, el espacio adecuado para la creatividad. Era el entorno en el cual las glorias de las antiguas hazañas de la caballería andante podían hacerse realidad. Al salir de su aldea, el camino no era únicamente sendero, espacio, extensión, belleza y paisaje, sino una extraordinaria y novel posibilidad de hazañas, aventuras y eventos. Le brindaba al hidalgo, en efecto, el campo de Montiel, una oportunidad única de hacer realidad sus sueños. Sin embargo, pasó el día sin que nada significativo le ocurriera que pudiera contarse.

Don Quijote es un hombre cabal, honesto, sincero, sereno, verdadero e íntegro. Por esa razón fundamental, su mensaje y sus obras han llegado a diversas generaciones y también han servido de inspiración a otras culturas y lenguas.

En el camino, y acompañado únicamente por sus sueños, anhelos e ideales, don Quijote pondera y reflexiona. Hablando consigo mismo alude, como mirando al porvenir y a las generaciones futuras, a la aceptación y aprecio que individuos y comunidades tendrían del caballero de La Mancha y de sus valerosas hazañas: "Dichosa edad y siglo dichoso aquel a donde saldrán a luz las famosas hazañas mías, dignas de entallarse en bronces, esculpirse en mármoles y pintarse en tablas..." (Tomo I, Cap. II).

Desde el inicio mismo de la obra, Cervantes está consciente de la naturaleza y extensión de su personaje. Está persuadido, en efecto, de que el tipo de proyecto que don Quijote se apresta a comenzar no es un programa que debe quedar confinado a una generación, ni debe finalizar enclaustrado como un espacio más en alguna biblioteca. El programa liberador del Quijote no sólo rompe los linderos del tiempo, sino que se separa de la tradicional suerte de los libros. Las páginas no pueden contener el poder evocador de sus ideales, ni pueden detener la virtud transformadora de sus enseñanzas. Don Quijote es un hombre cabal, honesto, sincero, sereno, verdadero e íntegro. Por esa razón fundamental, su mensaje y sus obras han llegado a diversas generaciones y también han servido de inspiración a otras culturas y lenguas. Es una persona que le hace caso a los reclamos de su espíritu aventurero y atiende los deseos de su alma noble y servicial. En don Quijote se funden la creencia y el acto, la idea y la práctica, los valores y la ética, los sueños y el comportamiento. ¡No está divorciado el pensamiento de la acción! En el hidalgo surge la continuidad entre el querer y el hacer, y es esa importante característica la que le hace superar el nivel de un personaje común y rutinario.

Don Quijote hace lo que cree y cree lo que hace. Por eso desarrolla una personalidad grata, un temple de héroe. Lo que lleva a efecto con su valeroso brazo, lo cree firmemente con toda su alma. Es un hombre de una sola pieza, de una sola pasión, de una sola misión. Es el caballero de la unidad y la integridad, pues todo su ser está impregnado de justicia, y decide vivir de acuerdo con la razón misma de su ser, no según los patrones que le proporcionaba la sociedad en la cual vivía.

La vida de don Quijote descansa en una afirmación moral extraordinaria: La gente de bien es la que vive de acuerdo con los grandes ideales de la justicia y la verdad. Es la que no separa el deseo de hacer el bien y vivir la bondad, de la acción diaria y cotidiana, y es la que lucha por hacerlas cumplir y actualizar. La gente heroica es la que no frena el compromiso que tiene con las personas marginadas y sufridas, sino la que vive, como don Quijote, para cambiar esas condiciones que ofenden la dignidad humana y hieren la voluntad divina. Es la gente que llega al convencimiento de que la justicia y el bien consisten en liberar al oprimido del opresor, en defender a los desvalidos de los poderosos, y en enjugar las lágrimas de los que sufren y lloran con hambre y sed de justicia y libertad.

Dulcinea del Toboso

En su lento peregrinar por los campos de Montiel, en el cual "el sol entraba tan aprisa y con tanto ardor, que fuera bastante para derretirle sesos (si algunos tuviera)", don Quijote evoca a su eterno amor, y fuente continua de sus inspiraciones: "¡Oh princesa Dulcinea, señora deste cautivo corazón!" (Tomo I, Cap. II).

Al inicio de su jornada, cuando don Quijote se prepara para comenzar sus aventuras, nos encontramos por primera vez con Dulcinea. Luego de limpiar las armas y nombrar a Rocinante, la faltaba al hidalgo una sola cosa: ¡Buscar una dama de quién enamorarse!, "porque un caballero andante sin amores es árbol sin hojas y sin fruto y cuerpo sin alma" (Tomo I, Cap. I).

Referente a Dulcinea, Cervantes brinda alguna información de importancia. Indica que en un lugar cerca de La Mancha, "había una moza labradora de muy buen parecer", de la cual el hidalgo hacía algún tiempo había estado enamorado. El nombre propio de la moza era Aldonza Lorenzo. Al hacerla emperatriz de La Mancha, y princesa y gran señora de sus pensamientos, don Quijote la llamó Dulcinea del Toboso. A su buen parecer, el nombre era músico, peregrino y significativo. La referencia al Toboso se incluye porque la moza era natural de esa aldea.

Para don Quijote, Dulcinea es la belleza personificada, la manifestación óptima de la virtud, la efigie de la bondad, la quintaesencia de sus amores. La imagen de Dulcinea se dibuja continuamente en el pensamiento del hidalgo, y su nombre, en efecto, se evoca en las aventuras del caballero manchego.

Sancho, sin embargo, ve a Dulcinea desde otra perspectiva. No la contempla con los ojos de la idealidad, sino la imagina desde el mundo que conoce muy bien, el del campo y el trabajo rudo. Dulcinea, que para don Quijote "merece ser la señora de todo el Universo", es descrita por Sancho de la siguiente forma: "tira tan bien una barra como el más forzudo zagal de todo el pueblo. ¡Vive el Dador, que es moza de chapa, hecha y derecha y de pelo en pecho, y que puede sacar la barba del lodo a cualquier caballero andante o por andar que la tuviere por señora!" (Tomo I, Cap. XXV). Y añade el escudero: "Lo mejor que tiene es que no es nada melindrosa, porque tiene mucho de cortesana…".

De acuerdo con la descripción de Sancho, Dulcinea tenía las virtudes relacionadas con el mundo del trabajo fuerte en el campo. La sin par Dulcinea, a los ojos del escudero, también era extraordinaria y ejemplar, pero por motivos diferentes a los que presenta el hidalgo. Para don Quijote, Dulcinea es la evocación de las bondades y los bienes; para el escudero, sin embargo, representa la capacidad de trabajo fuerte y decidido.

Un episodio interesante de la obra pone claramente de relieve la importancia de Dulcinea. El hidalgo dialoga con un grupo de cabreros y caminantes en torno a la naturaleza y reclamos de su profesión como caballero andante (Tomo I, Cap. XIII). En las conversaciones, aunque los caminantes lo tenían por loco, don Quijote les indicaba que había escogido esa profesión por ser muy necesaria en la humanidad. Y añadió el hidalgo, para destacar y enfatizar la relevancia y pertinencia de su trabajo: "Así que somos ministros de Dios en la tierra…", pues su labor, indicaba claramente don Quijote, era más arriesgada que la de los religiosos y los monjes.

Y añadió el hidalgo, para destacar y enfatizar la relevancia y pertinencia de su trabajo: "Así que somos ministros de Dios en la tierra…", pues su labor, indicaba claramente don Quijote, era más arriesgada que la de los religiosos y los monjes.

Uno de los cabreros, Vivaldo, objetó la relación íntima que hace don Quijote entre la misión que profesaba con la referencia teológica de "ser ministro de Dios". Argumentó el cabrero que cuando los caballeros andantes van al combate no invocan a Dios, sino a su dama preferida. Y añade: "Se encomiendan a sus damas con tanta gana y devoción como si ellas fueran su Dios: cosa que me parece que huela algo a gentilidad".

La crítica del cabrero llega al corazón del asunto: ¿En quién se fundamenta la inspiración y energía de los caballeros andantes, en Dios o en sus damas? Vivaldo puso de manifiesto la tensión continua que existe en el corazón de los caballeros andantes: ¿Se encomiendan a Dios o invocan a sus damas? La crisis teológica que se pone de relieve ante don Quijote de manera clara y contundente es compleja y concreta: ¿Cuál es la relación entre Dulcinea y Dios?

Don Quijote, en primer lugar, rechaza abiertamente la posibilidad de paganismo o gentilidad. Los caballeros andantes, reclama con valor y decisión el hidalgo, son muy religiosos y fieles, y se encomiendan a Dios con devoción y piedad; aunque también acepta y reconoce que es uso y costumbre que "al acometer algún gran fecho de armas —el caballero andante— tuviese su señora delante, vuelva a ella los ojos blanda y amorosamente, como que le pide con ellos le favorezca y ampare en el dudoso trance que acomete". De esta forma don Quijote se ubica en la tradición que afirma que amar intensamente a una mujer eleva el hombre a la contemplación de la Belleza Máxima: Dios.

La respuesta del hidalgo presenta su doble lealtad, y la de los caballeros. Desde la perspectiva teológica, y de acuerdo con la ortodoxia religiosa que deseaba profesar, don Quijote reconoce la importancia divina para superar las dificultades y vencer los conflictos. Sin embargo, el uso y costumbre de los andantes caballeros —es decir, la tradición literaria de ese tipo de obras de caballería— es encomendarse a su dama, que, en efecto, es fuente de inspiración y fortaleza. En teoría, el caballero andante invoca a la divinidad y se relaciona ciertamente con lo eterno; en la vida diaria, sin embargo, invoca su dama. La dama invocada, para el caballero andante y ciertamente para don Quijote, es más que una mujer, es el ideal que le inspira, la fuerza que lo motiva, la energía que le impele a emprender sus proyectos, hazañas y peregrinares. En efecto, es símbolo de poder, autoridad y victoria.

Añade don Quijote, para explicar y enfatizar aún más sus argumentos en torno a los amores de los caballeros: "no puede ser que haya caballero andante sin dama, porque tan propio y tan natural le es a los tales ser enamorados como al cielo tener estrellas". Además, afirma categóricamente, que no puede haber caballero andante sin amores. El hidalgo desea destacar, en la argumentación, una característica fundamental que le distingue, desde que comenzó su tarea liberadora: El amor fiel, leal y decidido a su dama, la gran Dulcinea del Toboso, la sin par emperatriz de La Mancha.

NOMBRE, PATRIA, CALIDAD Y HERMOSURA

El episodio en el cual se incluye un interesante diálogo con varios cabreros generó una de las descripciones más importantes de Dulcinea en la obra. Vivaldo relaciona el discurso de don Quijote en torno a los amores de los caballeros andantes con la experiencia particular del hidalgo, y solicita concretamente "el nombre, patria, calidad y hermosura de su dama" (Tomo I, Cap. XIII).

Con un gran suspiro don Quijote indica: "su nombre es Dulcinea; su patria, el Toboso, un lugar de La Mancha; su calidad, por lo menos, ha de ser princesa, pues es reina y señora mía; su hermosura, sobrehumana, pues en ella se vienen a hacer verdaderos todos los imposibles y quiméricos atributos de la belleza que los poetas dan a sus damas: que sus cabellos son oro, su frente campos eliseos, sus cejas arcos del cielo, sus ojos soles, sus mejillas rosas, sus labios corales, perlas sus dientes, alabastro su cuello, mármol su pecho, marfil sus manos, su blancura nieve, y las partes que a la vista humana encubrió la honestidad son tales, según yo pienso y entiendo, que sólo la discreta consideración puede encarecerlas, y no compararlas". Y en torno a linaje y la alcurnia de su dama, añade don Quijote, "que es de los del Toboso de la Mancha, aunque moderno, tal, que puede dar generoso principio a las más ilustres familias de los venideros siglos".

En este relato se pone en evidencia el corazón del ideal de don Quijote. Dulcinea representa lo sobrehumano que inspira el hidalgo. Es la expresión última y más elaborada de la belleza. Es reina, princesa, emperatriz y señora, y sus atributos físicos sobrepasan la capacidad descriptiva de los poetas; y en ella, su linaje cobrará lustre y prestigio. Dulcinea, más que un ser humano con el que don Quijote pudiera dialogar, es el ideal, el modelo, la lumbre, el norte que inspira sus proyectos liberadores.

Por esa razón, don Quijote alzaba sus ojos al cielo y ponía su pensamiento en su señora Dulcinea y decía, al enfrentar las dificultades: "Acorredme, señora mía, en esta primera afrenta que a este vuestro avasallado pecho se le ofrece; no me desfallezca en este primero trance vuestro favor y amparo" (Tomo I, Cap. III). Y añade: "¡Oh señora de la hermosura, esfuerzo y vigor del debilitado corazón mío! Ahora es tiempo que vuelvas los ojos de tu grandeza a este tu cautivo caballero, que tamaña aventura está atendiendo".

Evocaba continuamente el hidalgo a Dulcinea, pues ella se convirtió en la fuente básica de sus mejores pensamientos, en la mejor estrella de la constelación de sus ideales y en la motivación fundamental de sus hazañas más heroicas. Esa inspiración y capacidad de evocar las mejores fuerzas del hidalgo fue el entorno emocional y espiritual de don Quijote cuando hacía una penitencia en la Sierra Morena.

De acuerdo con el relato, comenzó a decir el hidalgo en voz alta en torno a su amada: "¡Oh Dulcinea del Toboso, día de mi noche, gloria de mi pena, norte de mis caminos, estrella de mi ventura…!" (Tomo I, Cap. XXV). Dulcinea era la musa que inspiraba al hidalgo, era el ideal que le movía por la vida, era no sólo el origen y motivo de sus proyectos de bien, sino también su culminación y perfección.

Esta comprensión idealizada de Dulcinea llega a un punto culminante en la cueva de Montesinos (Tomo II, Cap. XXII). Antes de descender a la cueva, narra Cervantes, que don Quijote se encomendó a Dios y pidió que su mano divina le guiara; "luego se hincó de rodillas e hizo una oración en voz baja al cielo, pidiendo a Dios le ayudase". La importancia religiosa se pone de relieve: Don Quijote implora ayuda a Dios, y se encomienda a la gracia divina. Ante lo desconocido e inesperado de la cueva, el hidalgo reconoce su impotencia y suplica al cielo sus misericordias y ayuda.

Posteriormente, el hidalgo exclamó en alta voz: "¡Oh señora de mis acciones y movimientos, clarísima y sin par Dulcinea del Toboso! Si es posible que lleguen a tus oídos las plegarias y rogaciones deste tu venturoso amante, por tu inaudita belleza te ruego las escuches; que no son otras que rogarte no me niegues tu favor y amparo, ahora que tanto le he menester".

Don Quijote no se refirió a Dulcinea en voz baja, sino rogó e imploró por su ayuda, favor y amparo, con fuerza y dedicación. Y añadió a su sentida plegaria, con mucha reverencia y seguridad: "Voy a despeñarme, a empozarme, y a hundirme en el abismo que aquí se representa, sólo porque conozca el mundo que si tú me favoreces, no habrá imposible a quien yo no acometa y acabe".

El objetivo de la oración era que Dulcinea le ayudara para demostrar de forma categórica y convincente que no hay imposibles que el hidalgo no pueda acometer y acabar. Esa ayuda, que en primer lugar había solicitado a Dios en voz baja, ahora se articula de forma audible y clara. Dulcinea no es, en esta extraordinaria evocación, la mujer común, la posible compañera del hidalgo, sino la divinidad encarnada, la bondad hecha plegaria, la virtud en todo su esplendor.

Dulcinea es más que un personaje, es más que una dama, es más que una mujer: ¡Es la fuente misma de inspiración del hidalgo! ¡Es la encarnación de las fuerzas divinas que guían y orientan a don Quijote!

Referente a este mismo tema de la idealidad de Dulcinea, don Quijote posteriormente añade: "quitarle a un caballero andante su dama es quitarle los ojos con que mira, y el sol con que se alumbra, y el sustento con que se mantiene". Y repite lo que anteriormente ha dicho: "el caballero andante sin dama es como el árbol sin hojas, el edificio sin cimiento, y la sombra sin cuerpo de quien se cause" (Tomo II, Cap. XXXII). Dulcinea es más que un personaje, es más que una dama, es más que una mujer: ¡Es la fuente misma de inspiración del hidalgo! ¡Es la encarnación de las fuerzas divinas que guían y orientan a don Quijote!

DIOS SABE SI HAY DULCINEA O NO EN EL MUNDO

Al explicar la naturaleza de sus amores, don Quijote indica, con valentía y seguridad: "yo soy enamorado, no más porque es forzoso que los caballeros andantes lo sean, y sabiéndolo, no soy de los enamorados viciosos, sino de los platónicos continentes". Don Quijote no estaba enamorado únicamente de Aldonza Lorenzo, la labradora moza del Toboso, que había inspirado su ideal y generado las memorias de Dulcinea. Estaba enamorado también del ideal que representa la dama del caballero andante. El amor de don Quijote por Dulcinea era platónico.

Referente al tema de su amor por Dulcinea, un diálogo íntimo del hidalgo con una duquesa que le recibe en su hogar es revelador e importante. La duquesa analiza los discursos del Quijote y reflexiona en torno a las implicaciones de sus palabras. Ante la evaluación sosegada de las declaraciones del hidalgo, la duquesa indica: "si mal no me acuerdo, que nunca vuestra merced ha visto a la señora Dulcinea, y que esta tal señora no es en el mundo, sino que es dama fantástica, que vuestra merced engendró y parió en su entendimiento, y la pintó con todas aquellas gracias y perfecciones que quiso" (Tomo II, Cap. XXXII). La duquesa confronta a don Quijote con su cruda realidad. La pregunta básica inquiere sobre la realidad o fantasía de la existencia de Dulcinea.

Don Quijote, ante la declaración de la duquesa, exclama: "Dios sabe si hay Dulcinea o no en el mundo, o si es fantástica o no es fantástica... Ni yo engendré ni parí a mi señora, puesto que la contemplo como conviene que sea una dama que contenga en sí las partes que puedan hacerla famosa en todas las del mundo, como son: hermosa sin tacha, grave sin soberbia, amorosa con honestidad, agradecida pero cortés, cortés por bien criada y, finalmente, alta por linaje...". Don Quijote describe lo que contempla en la fuente de su inspiración.

Para don Quijote, Dulcinea no es una creación ni invención suya, sino la articulación y materialización de las mayores y mejores bondades físicas y morales en el mundo. Y añade el hidalgo: "Dulcinea es hija de sus obras"; es decir, la sin par señora emperatriz del Toboso, es el resultado lógico de la bondad, el producto excelso de la belleza, la manifestación óptima de las virtudes.

De acuerdo con don Quijote, "Dulcinea es principal y bien nacida, y de los hidalgos linajes que hay en el Toboso, que son muchos, antiguos y muy buenos a buen seguro que no le cabe poca parte a la sin par Dulcinea, por quien su lugar será famoso y nombrado en los venideros siglos…".

La fama de Dulcinea no se desprende de su existencia real, ni se fundamenta en su apariencia física. Las virtudes de esta extraordinaria dama se derivan de la capacidad que tiene para evocar buenos deseos, el poder que manifiesta para engendrar proyectos transformadores, la fuerza que posee para promulgar acciones justas.

Dulcinea no es una dama común en la interminable y fantástica saga de los caballeros andantes. ¡Es la divinización de la mujer! Es la encarnación del ideal que se representa en la moza del Toboso, inicialmente conocida como Aldonza Lorenzo. Dulcinea es para don Quijote la divinidad misma, es la inspiración y el poder necesario para triunfar en la vida. Por ese motivo fundamental y extraordinario, Dulcinea acompaña a don Quijote en todas sus empresas y aventuras. Se alude a ella continuamente desde que don Quijote indica su peregrinar en La Mancha, hasta el lecho de muerte de Alonso Quijano el Bueno.

"Y así, bástame a mi pensar y creer, decía don Quijote, que la buena Aldonza Lorenzo es hermosa y honesta; y en lo de linaje importa poco, que no han de ir a hacer la información dél para darle algún hábito, y yo me hago cuenta que es la más alta princesa del mundo. Porque has de saber, Sancho, si no lo sabes, que dos cosas solas incitan a amar más que otras, que son la hermosura y la fama, y estas dos cosas se hayan consumadamente en Dulcinea… Yo imagino que todo lo que digo es así, sin que sobre ni falte nada, y píntola en mi imaginación como la deseo…" (Tomo I, Cap. XXXV).

Ciertamente Dulcinea vive y reina en la imaginación de don Quijote. La emperatriz de La Mancha es dueña y señora del ingenio del Caballero de la Triste Figura; la sin par y dulcísima dama que inspira sus hazañas. Es el resultado de la extraordinaria creatividad del hidalgo.

ELLA PELEA EN MÍ, Y VENCE EN MÍ, Y YO VIVO Y RESPIRO EN ELLA

Esa percepción ideal y óptima de Dulcinea llega a su máxima expresión en el episodio en que dialogan la hermosa Dorotea, el fiel Sancho y el famoso don Quijote (Tomo I, Cap. XXX). En la conversación, Sancho destaca que don Quijote —aún en contra de las recomendaciones de su escudero— fue quien liberó a los condenados a las galeras del rey. Y el hidalgo respondió con la elocuente y sabia afirmación, que no toca a los caballeros andantes averiguar si los afligidos que encuentran en los caminos son responsables de sus desdichas y dolores. Don Quijote reaccionó, ante el cautiverio de los galeotes, de acuerdo con lo que su religión y su consciencia demandaban de él.

En las conversaciones, Dorotea convence a don Quijote de que le ayude a vencer a un descomunal gigante que trata de usurpar el reino Micomicón. A lo que don Quijote responde en la afirmativa, con valentía y dedicación, pues confirma que su propósito primordial en la vida era responder a los clamores de los necesitados. La princesa Micomicona, Dorotea, indicó que como premio de triunfo sobre el gigante ella se casaría con don Quijote, cosa que Sancho recibió con beneplácito y mucha alegría.

Esa conversación entre la princesa y don Quijote fue el entorno para una de las frases más célebres de la obra de Cervantes. Don Quijote, aunque agradecido a la princesa, confiesa que no puede casarse con ella, pues ya está su corazón comprometido con Dulcinea. A Sancho le pareció mal la respuesta del hidalgo, y trató de convencer a su amo de la importancia del ofrecimiento. ¡Era la oportunidad única que se le presentaba al escudero de ser gobernador de algún reino!

El argumento de don Quijote fue contundente y muy revelador. Revela la importancia de Dulcinea en el ideario y los proyectos del hidalgo. Afirma, con orgullo y devoción, que es el valor que Dulcinea le infunde a su brazo lo que le permite enfrentar las dificultades y salir airoso de las desiguales batallas que libra. Además, don Quijote reprende severamente a Sancho por ignorar que ha sido el valor que le brinda Dulcinea la fuerza que le impele a emprender sus hazañas. ¡Es la sin par Dulcinea la que toma el brazo de don Quijote para triunfar! Y entonces el hidalgo añade: "Ella pelea en mí, y vence en mí, y yo vivo y respiro en ella, y tengo vida y ser".

En esta expresión se conjuga toda la extensión de las esperanzas en torno a Dulcinea. Para don Quijote, Dulcinea es la fuerza extraordinaria que le motiva, le impele y le inspira. ¡Ella vive y pelea en él! No es su amada el ideal abstracto e inimaginable que se contempla lejos. Dulcinea inspira al hidalgo a emprender sus desiguales luchas con los imposibles, es el factor de triunfo en el fragor de la batalla, es la fuente de su vida, el aliento que le mueve, y la fundamental razón de su existencia.

Dulcineas pelea, vence, vive y respira en don Quijote. Ella no existe en el mundo muchas veces impotente de las realidades tangibles, sino en la maravillosa y triunfal esfera de la imaginación, la cual genera dinamismo, creatividad, compromiso con la gente que sufre, la seguridad para enfrentar la vida con autoridad y valentía. La sin par Dulcinea es, en efecto, la fuerza y la energía que motiva continuamente a don Quijote a cumplir su misión en la vida: "socorriendo viudas, amparando doncellas y favoreciendo casadas, huérfanos y pupilos, propio y natural oficio de caballeros andantes, y así, por mis valerosas, muchas y cristianas hazañas he merecido andar ya en estampa en casi todas o las más naciones del mundo" (Tomo II, Cap. XVI).

Capítulo 5

VENGO A VOLVER POR MÍ MISMA...

"Yo nací libre —respondió Marcela—
y para vivir libre escogí la soledad de los campos.
Los árboles destas montañas son mi compañía,
las claras aguas destos arroyos mis espejos;
con los árboles y con las aguas
comunico mis pensamientos y hermosura."
Tomo I, Cap. XXI

EL AMA Y LA SOBRINA

Desde el comienzo mismo de la obra, la figura de la mujer ocupa un lugar preponderante y protagónico en la narración de las aventuras de don Quijote. En efecto, se manifiesta en los episodios y relatos de la obra un buen deseo por distinguir, afirmar, respetar y subrayar las virtudes de las mujeres; además, se reconoce y enfatizan las contribuciones magníficas que brindan a la sociedad. La imagen de la mujer, en las narraciones cervantinas, no es un adorno literario superficial o marginal, ni mucho menos es una figura decorativa en la presentación de las serias preocupaciones del caballero manchego.

En la extensa atmósfera de personajes, dos mujeres son mencionadas de forma destacada y con cierta regularidad, en el desarrollo del drama cervantino: el ama y la sobrina. Ellas acompañarán a don Quijote en momentos de singular importancia, y estarán también presentes aún en el instante final de su vida. Ambas se relacionan con nuestro personaje protagónico desde varios niveles afectivos, y contribuyen no sólo al desarrollo de la empresa quijotesca, sino que aportan a la definición de la personalidad del hidalgo. En los diálogos de don Quijote y estas mujeres la sabiduría se pone de manifiesto, y se revelan también extraordinarias particularidades y preocupaciones humanas.

Del ama no sabemos mucho, pues Cervantes no la identifica ni la particulariza claramente por su nombre, aunque sí se revela con precisión su función en relación con los proyectos del Quijote. Ella representa las fuerzas que se contraponen a los planes del hidalgo; en efecto, es un tipo de conciencia acusadora continua; reclama cordura, identifica dificultades, señala posibilidades de conflicto, y llama la atención a la naturaleza descabellada de las empresas ilusorias del hidalgo caballero de La Mancha. Cervantes decidió mantener el nombre de este personaje en el anonimato, posiblemente para enfatizar su lugar en la narración, y destacar su razón de ser en la obra. ¡Combate con energía y autoridad los sueños de caballero andante del decidido hidalgo! A esta mujer sólo se le conoce con el nombre de su oficio.

Algunos estudiosos piensan que el nombre y la función misma que distinguen al ama, revelan y manifiestan gran ironía. ¡Ella podía sentirse dueña y señora de la casa de don Quijote! Era el poder y la autoridad en la administración de las propiedades del hidalgo. Se revelaría, en este caso, el papel singular y preponderante que le concede Cervantes a esta mujer, desde los capítulos iniciales de la obra. ¡Es, en efecto, una mujer la que queda en casa, mientras el hidalgo va en busca de aventuras! ¡Es ciertamente una mujer la responsable de que todo marche bien, en la ausencia del hidalgo!

Sin embargo, no debe descartarse en el análisis de este personaje femenino la posibilidad de que el autor utilizara el antiguo y común artificio literario de nombrar e identificar a algunos protagonistas de las obras únicamente por el oficio que desempeñaban —por ejemplo, el rey, la reina, el marqués, la duquesa, la criada, o el soldado—. De todas formas, el ama estará junto al hidalgo al comienzo de sus andanzas y peregrinares, y le acompañará también hasta su desenlace, al término de la obra, en el lecho de la muerte.

El nombre de la sobrina, aunque se suprime al comienzo de las narraciones, se revela posteriormente en la obra: Antonia. La función principal de esta mujer es ser la acompañante continua del ama, de la cual se convierte prácticamente en su sombra. Era la compañera continua en los diálogos, y su principal interlocutora en la evaluación e interpretación de las aventuras del hidalgo. Aunque en momentos se manifiesta en este personaje algunos rasgos de individualidad, en la gran mayoría de los casos las informaciones que se poseen de ella no revelan mucho dinamismo ni creatividad. En ocasiones, inclusive, don Quijote le permite referencias y respuestas que pueden parecer irrespetuosas para su época. Al final de la obra, el hidalgo manifiesta públicamente su preocupación por el posible matrimonio de su sobrina, y alude a ese evento en su testamento final: ¡Antonia no debía casarse con ningún caballero andante! (Tomo II, Cap. LXXIV).

La presencia de estas dos mujeres en la hacienda de don Quijote descubre y revela que el protagonista de nuestra obra no es un hombre casado: la evaluación ponderada de su entorno familiar y doméstico pone de relieve claramente la condición de soltero del hidalgo. El ama "pasaba de los cuarenta", es decir, ya no estaba en edad casadera, era "casi una anciana" para la España medieval, pues no muchas mujeres alcanzaban esa edad avanzada. La sobrina, por su parte, "no llegaba a los veinte", inadecuada para matrimonio con don Quijote por razón de la edad, y también por la proximidad de parentesco.

DULCINEA Y LA POSIBILIDAD DEL AMOR

Una mujer adicional se menciona al comenzar las aventuras de don Quijote: la famosísima, hermosa y sin par Dulcinea del Toboso, razón de ser de sus proyectos liberadores, dulce mujer de sus sueños, e inspiración de sus mejores hazañas. En la evaluación e identificación de los requisitos indispensables para iniciar de forma adecuada sus andanzas, proyectos y viajes, el hidalgo entendía que le faltaba, según decía en varias ocasiones, un componente indispensable y fundamental: una dama de quien debía enamorarse, pues un "caballero andante sin amores era árbol sin hojas y sin fruto y cuerpo sin alma".

No se provee información precisa del inicio de los amores y del desarrollo de los quereres de don Quijote y Dulcinea, cuyo verdadero nombre es Aldonza Lorenzo, hija de Lorenzo Corchuelo y Aldonza Nogales (Tomo I, Cap. XXV). Únicamente sabemos que era una "moza labradora de muy buen parecer", proveniente de la comunidad del Toboso, un pueblo de La Mancha cuyo nombre sugiere la idea de pedregales, o lugar de las tobas. Sin embargo, este extraordinario y profundo amor del hidalgo por "su dulce señora" nunca fue correspondido, pues no sabemos siquiera si ella alguna vez se enteró de los heroicos y nobles sentimientos del caballero manchego. El amor apasionado de don Quijote es platónico, posiblemente nunca pasó de ser un sueño, una ilusión, un deseo ardiente por lograr el ideal de la bondad y el cariño en la vida.

La falta de información referente a los amores del hidalgo ha generado conjeturas en torno a la personalidad de los protagonistas. Algunos estudiosos piensan en la timidez, y otros comentan la diferencia de edades y clases entre los protagonistas. Se señala inclusive, como fuente de la distancia de esos amoríos, los divergentes niveles culturales y sociales de don Quijote y Dulcinea: él era un hidalgo humanista y letrado; y ella, una moza de campo, posiblemente analfabeta e inculta.

En Dulcinea, sin embargo, Cervantes crea un personaje protagónico en su obra que está siempre ausente: ¡Nunca don Quijote, ni nadie en la obra, la ve realmente! Dulcinea no habla ni actúa, sólo se evoca y se sueña: "...no sabe escribir ni leer, y en toda su vida ha visto letra mía —decía don Quijote—porque mis amores y los suyos han sido siempre platónicos, sin extenderse a más que a un honesto mirar".

Aunque don Quijote la vislumbró de manera fantástica y extraña en el extraordinario y muy famoso relato de la cueva de Montesinos (Tomo II, Cap. XXIII), por momentos hasta duda de la existencia de Dulcinea. Este personaje, continuamente ausente, pero al mismo tiempo siempre presente, se desarrolla como un elemento vital en la obra. La mujer, en la figura e idea de la sin par Dulcinea, llega a su máxima expresión de reconocimiento, aprecio, valoración y distinción. Es ella la más alta articulación de las bondades, la manifestación óptima de la virtud, el más grato homenaje y mejor reconocimiento dado a la mujer.

La mirada penetrante del hidalgo, sin embargo, descubre valores y bellezas ocultas a simple vista.

LAS DOS MUJERES MOZAS DE LA VENTA

Por los campos de Montiel, cuando lo acompañan únicamente la soledad, los ideales y el deseo ardiente de socorrer a los necesitados, Cervantes nos informa que don Quijote vio una venta. El relato añade, posteriormente, que el hidalgo "luego que vio la venta se le representó que era un castillo..." (Tomo I, Cap. II). Se pone de relieve, al inicio de los peregrinares del caballero andante, la importancia de la imaginación en la vida del caballero manchego. Había visto bien una venta, sin embargo, al aproximarse a ella, "se le representó", es decir, cambió y se transformó en un castillo imaginario y extraordinario. El castillo descrito por don Quijote sobrepasaba las descripciones físicas de las construcciones españolas de la época, pues era el libre producto de su invención e imaginación.

Esta aventura inicial del hidalgo revela una dinámica extraordinaria de oposiciones que se manifiesta continuamente en la obra. Cervantes produce una tensión creadora entre lo que se ve y lo que se representa, articula el Manco de Lepanto una extraordinaria dinámica entre lo palpable y la imaginación: en efecto, se contraponen lo que es y lo que parece, la realidad y la fantasía, la locura y la discreción, el drama y la comedia, el humor y el llanto, lo sublime y lo grotesco, lo cotidiano y lo extraordinario. En esas dualidades se ponen de relieve las grandes virtudes narrativas del autor, y se revela también un nivel óptimo de creatividad y de buena articulación literaria.

Al llegar a la puerta de la venta, que para don Quijote era ciertamente un castillo, "vio a las dos distraídas mozas que allí estaban, que a él le parecieron dos hermosas doncellas o dos graciosas damas que delante de la puerta del castillo se estaban solazando". Las mujeres que al Quijote "le pareció" eran mozas, "estas que llaman del partido", ciertamente eran dos prostitutas que esperaban algún cliente en el camino o en la venta.

Una vez más la creatividad, el ingenio y la imaginación del hidalgo juegan un papel fundamental en el desenlace de la obra; lo que a simple vista eran dos mozas de la venta, ante la mirada noble y creadora de don Quijote se transforman en doncellas y damas. Una mirada superficial puede discriminar en contra de las mujeres por la labor que ellas desempeñan en la sociedad. La mirada penetrante del hidalgo, sin embargo, descubre valores y bellezas ocultas a simple vista.

El primer encuentro de don Quijote con la sociedad española, a la cual debe servir y transformar, es con lo crudo drama de la miseria humana, con el dolor y la angustia manifestada en la prostitución. El hidalgo, al inicio del viaje que lo llevaba al desempeño de su misión, se encuentra cara a cara con la comercialización de seres humanos para la gratificación personal e irresponsable.

El recién iniciado andante caballero tropezó repentinamente con la desvalorización de la gente. Se encontró el hidalgo, de pronto y sin prevenirlo, frente a la cosificación de las personas: El cautiverio personal encarnado en la desgracia y desesperanza de dos mujeres que intentaban subsistir y sobrevivir con la venta de sus caricias, con la degradación de sus cuerpos, con la comercialización de sus amores.

Sin embargo, el hidalgo no ve en las mozas el estigma de su "profesión", ni las rechaza por alguna presión social, ni mucho menos desea tomar ventaja de la condición de las mujeres de la venta: ¡Don Quijote de La Mancha distingue y respeta a las mujeres! Aunque se encontró con una manifestación infrahumana e inmisericorde de la vida, el caballero vio en el semblante y la figura de las mujeres, gracias, virtudes, valores y potencialidades.

Revela el relato, en efecto, la actitud consistente del hidalgo: Las mujeres que trabajan en la venta son algo más que cosas o instrumentos de trabajo. ¡Eran doncellas y damas que requieren un trato digno y muy responsable! Don Quijote subraya una vez más el respeto y la distinción que se debe a la mujer. La mujer, en la cosmovisión de don Quijote, es digna de valoración y respeto; es merecedora de distinción y reconocimiento.

LA PASTORA MARCELA

Un episodio adicional de la obra confirma aún más y destaca el tema de la importancia de la mujer para don Quijote. La narración presenta la historia de los frustrados amores del pastor Grisóstomo con una bella joven de la aldea. El relato eleva a un nivel extraordinario el aprecio, la afirmación y el reconocimiento que manifestaba el hidalgo de La Mancha hacia la figura femenina (Tomo I, Cap. XII-XIII).

Grisóstomo era un famoso pastor e hidalgo rico que había estudiado en Salamanca, sabía de poesía, escribía villancicos, y, además, era aficionado a la astrología. Al regresar de sus estudios en Salamanca, se enamoró apasionadamente de una joven llamada Marcela. Falleció, al parecer, de treinta años, y aún muerto, de acuerdo con la narración, mostraba que vivo había sido de rostro hermoso y de disposición gallarda. Según el poema "Canción desesperada", posiblemente se ahorcó, frustrado por el rechazo de Marcela.

En diálogo con unos cabreros y pastores del lugar, don Quijote y Sancho escucharon las noticias de la muerte de Grisóstomo, y supieron también que, según se decía y se pensaba en la comunidad, el joven había "muerto de amores de aquella endiablada moza de Marcela, la hija de Guillermo el rico, aquella que se anda en hábito de pastora...". También se enteraron, el interesado hidalgo y su leal escudero, que al morir Grisóstomo, mandó en su testamento que lo enterraran en el campo, como si fuera moro, al pie de una peña en la cual vio por vez primera a Marcela.

La joven Marcela, por su parte, era hija de Guillermo, un labrador al cual Dios dio muchas y grandes riquezas. La madre de Marcela, que era una mujer noble, honrada, hacendosa y amiga de los pobres, murió de parto. Al Marcela quedar huérfana, un tío sacerdote se encargó de ella. La joven creció con tanta belleza y gracia, que cuando llegó a la edad de catorce o quince años, la gente bendecía a Dios al contemplar su hermosura, y los más quedaban enamorados y perdidos por ella.

Aunque el responsable y respetuoso sacerdote cuidaba y guardaba a Marcela, su sobrina, con recelo, sabiduría, cariño y prudencia, la fama de la belleza de la joven se extendió no solamente con los de su pueblo, sino con los de muchas leguas a la redonda. ¡Muchos jóvenes importunaban al tío para que se la diese por mujer! Sin embargo, el tío no consintió a ninguna petición, pues no quería violentar la voluntad libre de Marcela, que no se mostraba interesada en amores ni en matrimonio.

A los requerimientos de su tío, que le rogaba que se casase y escogiese a su gusto, Marcela respondía que no se sentía hábil para llevar tan importante carga. La joven, por su parte, mantenía su honestidad y recato, y no daba esperanza alguna a quienes manifestaban intención sentimental y matrimonial.

Mientras don Quijote y Sancho hablaban con los labradores de las desdichas de Grisóstomo, y también de las decisiones, acciones y actitudes de Marcela, llegaron al lugar en el cual se sepultaría al joven poeta enamorado. Trajeron desde el pueblo el cuerpo de Grisóstomo un grupo de hasta veinte pastores, que deseaban cumplir fielmente con la última voluntad del despreciado difunto. Ambrosio, amigo íntimo del infortunado, identificó el lugar de la sepultura, pues allí, en muchas ocasiones, su desdichado amigo le había contado sus desventuras y desengaños amorosos. Grisóstomo, en aquel lugar, le declaró su amor por vez primera a Marcela, y allí mismo, de acuerdo con el relato, ella le acabó de desdeñar y desengañar.

La despedida de duelo fue emotiva, intensa, extensa y dramática. La liberal descripción de las virtudes de Grisóstomo subrayó su cortesía, enfatizó su gentileza, puntualizó su amistad, celebró su alegría y destacó su bondad. Y específicamente en torno a sus amores con Marcela, Ambrosio dijo al grupo: "Quiso bien, fue aborrecido; adoró fue desdeñado; rogó a una fiera, importunó a un mármol, corrió tras el viento, dio voces a la soledad, sirvió a la ingratitud, de quien alcanzó por premio ser despojos de la muerte en la mitad de la carrera de su vida, a la cual dio fin una pastora a quien él procuraba eternizar para que viviera en la memoria de las gentes...".

De acuerdo con el discurso fúnebre, Marcela fue la única causante de la muerte de Grisóstomo, por el rechazo continuo y por sus reacciones negativas a las sinceras declaraciones de amor del infortunado joven. La decisión de Marcela afectó tan adversamente la salud del enamorado, que, de acuerdo con sus amigos y la comunidad, le había provocado la muerte.

Esa actitud independiente de la pastora Marcela es catalogada como ingratitud, que de acuerdo con la filosofía de vida de don Quijote, es "uno de los pecados que más ofende a Dios" (Tomo I, Cap. XXII). Posteriormente, el mismo Ambrosio añade, en torno a la joven y bella pastora: que era "cruel, y un poco arrogante, y un mucho desdeñosa" (Tomo I, Cap. XIV). Ella, según Ambrosio, era fiera hostil que aborreció las bondades de Grisóstomo. También era dura y fría como un mármol. Además, demostró irremediablemente su ingratitud, al no responder positivamente a los buenos amores de quien lo único que deseaba era eternizarla para que viviera por siempre en la memoria de la comunidad.

En medio del acto fúnebre, y antes de que Ambrosio pudiera leer alguno de los poemas del desventurado difunto, de pronto, "le estorbó una maravillosa visión (que tal parecía ella) que improvisamente se le apareció a los ojos": Sobre la peña en que sepultaban a Crisóstomo, se apareció Marcela a la vista de todo el grupo. Ante el asombro de los que participaban del evento, se personó la aludida pastora, "tan hermosa, que pasaba a su fama la hermosura", y los que anteriormente no la habían visto, quedaron admirados y callados ante sus extraordinarios atributos físicos.

La reacción de Ambrosio fue de ira, indignación y rechazo: "¿Vienes a ver, por ventura, ¡oh fiero basilisco destas montañas", si con tu presencia vierten sangre las heridas deste miserable a quien tu crueldad quitó la vida?" Y, mientras inquiría por el objetivo real de aquella inesperada e impropia visita, añadió a sus reproches otras muchas descripciones de las mortales y nefastas cualidades de Marcela. En efecto, la califica de cruel, arrogante, despiadada e ingrata.

Ante los reclamos y las acusaciones de Ambrosio, Marcela respondió con valor, firmeza y seguridad: "No vengo a ninguna cosa de las que has dicho, sino a volver por mí misma, y a dar a entender cuán fuera de razón van todos aquellos que de sus penas y de la muerte de Crisóstomo me culpan...".

Marcela llegó al entierro de Grisóstomo para redimir su honra, recuperar su prestigio y limpiar su nombre. De acuerdo con la percepción popular, ella había causado la muerte del joven poeta y pastor, por rechazar sus amores y no corresponder a sus peticiones de matrimonio. Era ahora su turno de responder y desmentir, con sabiduría, valentía e inteligencia, lo que la percepción popular había asegurado sin fundamento alguno ni verdad.

Públicamente Marcela acepta que, según los criterios populares, era hermosa, y que esa cualidad física producía en la gente amor y deseos de poseerla. Asegura, sin embargo, que esa condición de mujer hermosa no la obliga a amar a nadie. Con el natural entendimiento que Dios le había dado, comprendía que "todo lo hermoso es amable". También sabía muy bien que por la razón de ser amado no se obliga a lo amado a corresponder a quien le ama. De acuerdo con el argumento de Marcela, ella no estaba obligada a amar a Grisóstomo por el sencillo hecho de que él se hubiera enamorado de ella. Y añade: "el verdadero amor no se divide, y ha de ser voluntario, y no forzoso".

Con esos argumentos Marcela puso en evidencia el error principal de la comunidad: Querer culparla de la muerte de alguien a quien ella no quería, ni nunca le había prometido o insinuado amor. La belleza de Marcela no es razón válida, ni justificación adecuada, para culparla de la muerte de nadie. No era culpa de Marcela que Grisóstomo se hubiera enamorado de ella, ni podía la pastora impedir los sentimientos del poeta enamorado.

Junto con esas razones, Marcela revela el corazón de su decisión de castidad: "Yo nací libre, y para poder vivir libre escogí la soledad de los campos"; y tomó esa opción en la vida, para que "sola la tierra gozase el fruto de (su) recogimiento y los despojos de (su) hermosura".

Se identifica de esa forma una filosofía de vida seria, particular y respetable: Ella decidió conscientemente vivir soltera, pues entendía el matrimonio como un cautiverio. Nació libre, y decidió permanecer en ese estado. Se hacía acompañar por los árboles, las montañas y los arroyos, pues los calificaba como su verdadera compañía. Y añade, en torno a este mismo asunto: A Grisóstomo lo mató su insensatez, pues aunque ella le informó claramente que su voluntad "era vivir en perpetua soledad", él "prefirió porfiar contra la esperanza y navegar contra el viento".

La razón de la muerte de Grisóstomo no fue la decisión de Marcela, sino su inhabilidad de reconocer el poder decisional y la capacidad de rechazo que ella tenía. Específicamente lo mató su resistencia a aceptar la opción de vida de Marcela. Ella no era un objeto que debía aceptar a ciegas la voluntad de la comunidad, ni mucho menos debía responder a los caprichos de los hombres.

Marcela complementa su discurso, diciendo: "Quéjese el engañado, desespérese aquel a quien le faltaron las prometidas esperanzas, confiese el que yo llamare, ufánese el que yo admitiere; pero no me llame cruel ni homicida aquel a quien yo no prometo, engaño, llamo, ni admito". Y al finalizar sus argumentos, y sin querer escuchar respuesta alguna, Marcela volvió las espaldas y se entró por lo más cerrado de un monte, dejando admirados a todos los presentes.

Ante las muestras que dieron algunos de los que allí estaban de seguirla, don Quijote se interpuso, pues entendió que la oportunidad era adecuada para socorrer a una doncella menesterosa. Y entonces, afirmó el hidalgo: "Ninguna persona, de cualquier estado o condición que sea, se atreva a seguir a la hermosa Marcela, so pena de caer en la furiosa indignación mía".

La posible persecución de la pastora requirió la intervención sabia y sobria del caballero, pues reconoció con claridad meridiana la importancia ética, la virtud moral y las implicaciones sociales de las palabras de la pastora: No se puede culpar a Marcela de la muerte de Grisóstomo por el solo hecho de que ella había decidido mantenerse soltera. Y añadía don Quijote: "Ella ha mostrado con claras y suficientes razones la poca o ninguna culpa que ha tenido en la muerte de Grisóstomo...; ...en lugar de ser seguida y perseguida, (debe) ser honrada y estimada de todos los buenos del mundo...".

Este es un momento fundamental en la relación de don Quijote con las mujeres. En una época en la cual la independencia de criterio y la autonomía de la mujer no eran virtudes reconocidas ni apreciadas, el hidalgo afirma y celebra la capacidad decisional y la inteligencia de la mujer. No está cautivo, el hidalgo, en la percepción común de que la mujer debía estar sujeta al hombre, ni tampoco sumisa ante los caprichos de otras personas. En el caso específico de este episodio, don Quijote rechazó sin temores ni dudas que Marcela respondiera positivamente a los reclamos amorosos de Crisóstomo, por el mero hecho de que él lo demandaba y requería.

Para don Quijote, la mujer nació libre, y no vive para estar cautiva. Se juntan en este relato el valor y la dignidad de la mujer, con la afirmación previa del hidalgo en torno a la liberación de los galeotes. Lo que Dios hizo libre, los seres humanos no deben cautivarlo.

Maritormes

Don Quijote y Sancho entraron al bosque por el mismo lugar que Marcela se alejó de los presentes en el entierro de Grisóstomo. Al poco tiempo, se encontraron en un verde prado, y hallaron a unos veinte pastores de la comunidad de Yanguas descansando del camino con sus jacas (Tomo I, Cap. XV). El encuentro fue desafortunado tanto para el hidalgo como para el escudero, pues los yagüeses, en respuesta a los avances de rocinante, los golpearon rudamente con sus estacas, hasta dejarlos mal heridos y desvalidos en el suelo.

> *En una época en la cual la independencia de criterio y la autonomía de la mujer no eran virtudes reconocidas ni apreciadas, el hidalgo afirma y celebra la capacidad decisional y la inteligencia de la mujer.*

Al recuperarse de los golpes, Sancho, aún con dolores y gemidos, acomodó a don Quijote sobre su asno y se fueron en busca del camino real. Encontraron en el camino una venta, que a don Quijote, muy en contra de las recomendaciones y argumentos de su escudero, le pareció un castillo. Al ver el ventero a don Quijote tan mal herido, salió a recibirlos, y la esposa del ventero y su hija se ofrecieron a ayudar al nuevo huésped.

La ventera ciertamente era caritativa, servicial y, además, "se dolía de las calamidades de sus prójimos" (Tomo I, Cap. XVI). Se prepara de esta forma la escena para un encuentro único que revela una vez más la percepción de la mujer que manifiesta don Quijote.

En la venta trabajaba una moza asturiana de características únicas: "ancha de cara, llana de cogote, de nariz roma, del un ojo tuerta y del otro no muy sana". La impresión inicial es que la moza, de nombre Maritormes, es la personificación de la fealdad. La descripción de sus defectos físicos es casi una caricatura, aunque también se indica que "la gallardía del cuerpo suplía las demás faltas", y se añade que era una moza gentil. Se incluye en la descripción de la moza, además, que ayudó a la ventera y a su hija a prepararle la cama a don Quijote, y a curar sus heridas.

En la venta se hospedaba también un arriero, que tenía su cama ubicada muy cerca de la del Quijote. Ya se había puesto de acuerdo el arriero con Maritormes, "que aquella noche refocilarían juntos"; y ella le había dado su palabra que "en la noche le iría a buscar y satisfacerle el gusto en cuanto le mandase".

En la penumbra, don Quijote traía a la memoria "una de las extrañas locuras que buenamente imaginarse puede", que una princesa del castillo se había enamorado de él. Y, ante tal aventura, el hidalgo proponía en su corazón "no cometer alevosía a su señora Dulcinea del Toboso". Esa misma noche se encontró don Quijote involucrado en una experiencia única entre los relatos de sus aventuras.

Maritormes, en la oscuridad de la noche, y tratando de encontrar al arriero, llegó a la cama del Quijote. El hidalgo, que aún en su imaginación pensaba en la fidelidad que le debía a la sin par Dulcinea, sintió que Maritormes había llegado, y "tendió los brazos para recibir a su fermosa doncella". La moza, experta en procesos similares, "iba con las manos delante buscando a su querido", hasta que don Quijote "la asió fuertemente de una muñeca, y tirándola hacia sí, sin que ella osase hablar palabra, la hizo sentar sobre la cama".

Este encuentro describe la mayor cercanía física de don Quijote con mujer alguna. Mientras trataba de ser fiel a su amada, la sin par Dulcinea, el hidalgo se encontraba inmerso en una situación potencialmente difícil y particularmente impropia, si quería preservar su integridad amorosa y poner de manifiesto su capacidad personal de enamorado fiel.

El relato revela una vez más el alto y magnífico concepto de la mujer que tenía don Quijote. La cercanía le permitió al hidalgo descubrir, en la moza ramera, un valor extraordinario. La proximidad le ayudó a percibir un nivel grato, digno y novedoso del ser humano que le acompañaba. La oscuridad no impidió que don Quijote pusiera de manifiesto su percepción de la mujer. Para el hidalgo, las mujeres tienen dignidad y se respetan. Valen por sí mismas, no por los trabajos que desempeñan, ni mucho menos por el nivel social en el que viven.

De acuerdo con la visión de don Quijote, la camisa de Maritormes no era de tela rústica y harapienta, sino de material fino y delgado; el vidrio de la pulsera se convirtió en preciosas perlas orientales; los cabellos no eran "crines" mal peinados, sino hebras de lucidísimo oro de Arabia; y el aliento no era desagradable, sino de un olor suave y aromático. ¡La realidad de Maritormes se transformó en la mente del hidalgo!

No era Maritormes la fealdad personificada, sino la diosa de la hermosura. ¡Don Quijote la imaginaba como una princesa del castillo! No era la prostituta de la venta, sino la mujer a la que se debía respeto; el ser humano al cual se debe reconocimiento. La persona digna, noble y seria que necesita que se aprecien y celebren sus verdaderas características. Maritormes no era un objeto, sino toda una mujer; un ser humano que demanda pulcritud en el trato y seriedad en todas las relaciones interpersonales.

Don Quijote demostró nuevamente que a la mujer hay que darle plusvalía, y hay que tratarla con el respeto, la dignidad y el decoro que merece.

Capítulo 6

¡SANCHO BUENO! ¡SANCHO NOBLE! ¡SANCHO AMIGO!

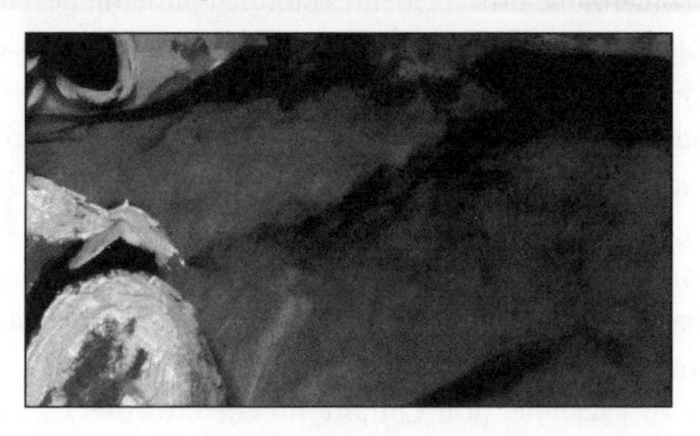

Señor, yo soy hombre pacífico, manso, sosegado,
y sé disimular cualquier injuria, porque tengo mujer
e hijos que sustentar y criar. Así que
séale a vuestra merced también aviso…
que en ninguna manera pondré mano a la espada,
ni contra villano ni contra caballero;
y que, de aquí para delante de Dios,
perdono cuantos agravios me han hecho y han de hacer…
persona alta o baja, rico o pobre, hidalgo o pechero,
sin exceptar estado ni condición alguna."
Tomo I, Cap. XV

Sancho en el proyecto quijotesco

Don Quijote, que emprendió su primer viaje en busca de aventuras y desafíos para responder a las necesidades de los menesterosos y oprimidos de la sociedad, se encontró en una venta en la cual, además de ser armado caballero, recibió varios consejos de importancia. El ventero, al notar las dificultades emocionales y también al ponderar los temas expuestos por el hidalgo, le recomendó regresar prontamente a su hogar. Era importante, decía el buen consejero a don Quijote, que se hiciera de dineros y camisas; particularmente, era necesario que consiguiera un escudero adecuado que le acompañara en sus peregrinares y empresas.

Prestó atención e hizo caso el hidalgo de los consejos del ventero y regresó a su hacienda, no sin antes tropezarse con varios incidentes que pusieron de manifiesto su valor, revelaron su determinación y subrayaron su seriedad con la vocación que comenzaba. Esos incidentes también pusieron de relieve la incapacidad del hidalgo para responder adecuadamente a los reclamos de su profesión sin el equipo y personal necesarios.

El episodio del castigo de Andrés a manos de su amo finalizó en un mayor dolor para el joven castigado (Tomo I, Cap. V). Cuando don Quijote solicitó el reconocimiento público y absoluto de la belleza de Dulcinea, fue agredido y azotado violentamente por uno de los mozos que acompañaba al grupo de mercaderes que iban camino a Murcia (Tomo I, Cap. VI). ¡El inicio del proyecto de don Quijote resultó en su quebrantamiento físico!

Al llegar a su hacienda, don Quijote no encontró sus libros. Enfrentó el hidalgo la triste realidad de ver sus libros quemados, pues, de acuerdo con el ama, habían "echado a perder el más delicado entendimiento que había en toda La Mancha". Se percató el caballero, además, que su biblioteca había "desaparecido", pues el cura, el ama, el barbero y la sobrina se pusieron de acuerdo para cerrar el cuarto y decirle a don Quijote que "un encantador que vino sobre una nube una noche... entró en el aposento… que a cabo de poca pieza salió volando por el tejado, y dejó la casa llena de humo; y cuando acordamos mirar lo que dejaba hecho, no vimos libro ni aposento alguno" (Tomo I, Cap. VII).

En todo caso, pasó don Quijote como quince días muy sosegado, en diálogo amable con sus dos amigos, el cura y el barbero. Explicaba el hidalgo manchego, durante ese período en su hacienda, la necesidad que el mundo tenía de caballeros andantes. Se preparaba para sus próximas aventuras, y revelaba sus pensamientos y proyectos a sus amigos íntimos, quienes se mostraban asombrados con las conversaciones, las actitudes y los temas que dilucidaba don Quijote.

Para lograr el objetivo fundamental de su regreso a la hacienda, sin embargo, don Quijote le solicitó a un labrador amigo que le acompañara en sus empresas y proyectos relacionados con la caballería andante. El susodicho labrador, hombre de bien, "pero de muy poca sal en la mollera", fue persuadido por las muchas palabras y los sueños de bien y de justicia del hidalgo. Determinó, el sencillo labrador, salir con el hidalgo y servirle de escudero.

¡SANCHO BUENO! ¡SANCHO NOBLE! ¡SANCHO AMIGO!

Entre los argumentos que influenciaron positivamente en la decisión del labrador, pesó en gran manera las promesas que le hacía don Quijote al futuro escudero, de nombre Sancho Panza. Le decía el caballero que "se dispusiese a ir con él de buena gana, porque tal vez le podía suceder aventura que ganase, en quítame allá esas pajas, alguna ínsula, y le dejase a él por gobernador della". El hidalgo ve en el escudero la posibilidad de ayuda en su proyecto quijotesco. Sancho espera el cumplimiento de una promesa, la materialización de un sueño: ¡Obtener una ínsula y ser gobernador!

La preparación para el viaje requería, entre otras cosas, dineros y alforjas. Sancho, además, añadió un asno, su fiel y querido jumento, al equipo de viaje. Y sin despedirse, don Quijote del ama y la sobrina, y Sancho de su esposa e hijos, salieron del lugar sin que nadie se percatara del nuevo viaje. El hidalgo iba soñando con sus futuras aventuras, y Sancho, como un patriarca en su jumento, se veía gobernador de la ínsula que su amo le había prometido.

SANCHO: SIMPLE, REALISTA Y SOÑADOR

La dicotomía ingenua y superficial que popularmente se tiene en torno a las diferencias de don Quijote y Sancho —de que el primero es el idealista del dúo, y el segundo, el pragmático y realista— no es totalmente cierta. En ambos personajes se manifiestan tendencias de idealidad y de realidad, aunque cada cual tiene sus énfasis y particularidades. El análisis de la identidad de cada personaje revela contrastes y continuidades que no pueden explicarse desde la perspectiva de una diferenciación abrupta, firme, radical y artificial. En el dúo de don Quijote y Sancho, hay tantos sueños como proyectos de justicia y confrontaciones con la realidad.

Sancho es un labrador sin muchas letras que responde al llamado del hidalgo movido por una promesa de beneficio personal e inmediato. El proyecto que en don Quijote tiene repercusiones morales y éticas extraordinarias, ¡responder a las necesidades de la gente que sufre!, en Sancho adquirió una dimensión práctica, inmediata, concreta y real. No buscaba el escudero ser caballero andante de honores, famas y prestigios. Ni tampoco deseaba, el fiel Sancho, descubrir en alguna doncella las virtudes extraordinarias y excelsas del amor. Su deseo claro y firme era ser gobernador de la ínsula prometida, para salir del espiral de pobreza en el cual estaba inmerso y cautivo.

> *En el dúo de don Quijote y Sancho, hay tantos sueños como proyectos de justicia y confrontaciones con la realidad.*

La preocupación por su familia junto a un claro y firme deseo de superación personal jugaron un papel fundamental en la decisión del escudero: Sancho veía en don Quijote y sus viajes la posibilidad concreta de hacer realidad sus proyectos de progreso. El ideal de don Quijote era Dulcinea; y el de Sancho, su ínsula. El escudero tenía la capacidad de soñar como su amo, y, además, poseía la virtud de proyectarse al porvenir y no quedar enclaustrado en su realidad inmediata. En efecto, Sancho decidió transformar su presente al comenzar las aventuras de la andante caballería.

No eran simplistas las aspiraciones del escudero. Eran motivaciones serias e importantes, que se articulaban en un idioma sencillo, tosco y rural. Salió con su amo, que estaba fuera de su juicio, porque soñó al igual que don Quijote. El escudero poseía también la capacidad de crear con su imaginación, tenía el ingenio necesario para disfrutar la fantasía, y claramente manifestaba la voluntad de hacerla realidad. Sancho no es un personaje superficial y llano. Su identidad se revela paulatinamente en la obra, y manifiesta, en sus refranes, dichos y diálogos, gran sabiduría y capacidad de análisis.

En el estudio sobrio de la psicología de Sancho, se descubre un proceso complejo y gradual de engaño y desengaño que se percibe en toda la obra. Cervantes pone en boca del escudero palabras sabias en el momento adecuado, al mismo tiempo que le hace articular simplicidades y sandeces que complican las características particulares del personaje.

En primer lugar, Sancho se va con don Quijote por el deseo de progresar. Sus anhelos de prosperar lo hacen incorporarse y disfrutar la misión de don Quijote. El escudero llegó al mundo ilusorio del hidalgo y experimentó también la locura de su amo, escuchó las confusiones del caballero andante, y rechazó muchas veces sus visiones y percepciones. Sancho es compañero de viajes y sueños de don Quijote, al mismo tiempo que se convierte en su interlocutor más cercano, íntimo y crítico.

La primera aventura que emprenden juntos, la del encuentro con los molinos de viento (Tomo I, Cap. VIII), revela la capacidad de Sancho para analizar adecuada y críticamente la realidad. Don quijote, de camino por el campo de Montiel, descubrió unos treinta o cuarenta molinos de viento, y al verlos, dijo a su fiel escudero: “La ventura va guiando nuestras cosas mejor de lo que acertamos a desear; porque ves allí, amigo Sancho Panza, donde se descubren treinta, o pocos más, desaforados gigantes, con quien pienso hacer batalla y quitarles a todos sus vidas…”.

El escudero, ante las visiones e ilusiones de su amo, no vio gigantes desaforados; claramente se percató de los molinos, y trató de convencer al hidalgo de su realidad: "Mire vuestra merced que aquellos que allí se parecen no son gigantes, sino molinos de viento, y lo que en ellos parecen brazos son las aspas…".

El sentido de realidad en Sancho nunca se nubló, siempre estuvo atento a los actos de su amo. Se percató rápidamente el labrador de la magnitud de la confusión del hidalgo. Sin embargo, después de experimentar las aspas del molino, luego de ver a su caballero amigo herido en el suelo, y al escuchar las argumentaciones del Quijote, respondió: "A la mano de Dios; yo lo creo todo así como vuestra merced lo dice…".

La respuesta de Sancho revela una característica fundamental de su personalidad: Era un hombre realista y concreto, que también poseía la habilidad de soñar con su amo. Sancho creyó en el proyecto de don Quijote, y le hacía caso a su amo, aunque el análisis sobrio de la realidad le motivara a tomar sus propias decisiones. El leal escudero no es un personaje de un solo plano en la obra, sino que tiene la capacidad de ser conciencia del hidalgo, al mismo tiempo que se incorpora a sus aventuras, locuras y hazañas.

El episodio del encuentro de don Quijote con los frailes de la orden de San Benito destaca aún más esa peculiaridad en la personalidad de Sancho (Tomo I, Cap. XIII). Luego de reponerse del encuentro con los molinos de viento, se encontraron don Quijote y Sancho con dos frailes de San Benito, con un coche, y cuatro o cinco personas a caballo, junto con dos mozos de mulas, a pie. A don Quijote el grupo le pareció ser unos encantadores que llevaban hurtada alguna princesa; y decía que debía responder rápidamente "para deshacer de este tuerto con todo (su) poderío".

Sancho, ante la visión de su amo, trata de corregirle cortésmente. Le indica que lo que ve no son encantadores, sino los frailes de San Benito; y añade: "Mire que digo que mire bien lo que hace, no sea el diablo le engañe". El escudero tenía una muy clara percepción de la realidad, y analizó la situación con cordura. ¡El episodio podía tener consecuencias peores que la de los molinos de viento! Sancho advirtió a don Quijote y lo confrontó con la realidad.

Sin embargo, luego del triunfo de don Quijote sobre los religiosos, es el mismo Sancho el que se acerca al fraile que está derribado en el suelo, para quitarle su ropa. De acuerdo con el análisis que el escudero hace de la situación, "aquello le tocaba a él legítimamente, como despojos de la batalla que su señor don Quijote había ganado". ¡Sancho se incorporó a la batalla, participó en la visión, encarnó el sueño del hidalgo! ¡Deseaba su parte del botín de guerra!

De un lado, Sancho reconoce la realidad que le circunda, analiza adecuadamente su entorno físico, y, además, tiene la capacidad de prevenir consecuencias nefastas y adversas. Del otro, sin embargo, el escudero se identifica tan profundamente con los sueños y hazañas de su amo, que penetra el mundo de sus fantasías, y se incorpora al proyecto quijotesco con un sentido heroico del deber. ¡Sancho se mete poco a poco en las locuras de su amo!

Esta actitud de Sancho se confirma una vez más en el encuentro de don Quijote con un vizcaíno que estaba con el grupo de los frailes de San Benito. Cuando el hidalgo manchego proclamó su triunfo absoluto ante la señora que viajaba en el coche, uno de los hombres del grupo le desafió públicamente, y se enfrascó con él en una gran batalla. En medio de la lucha, Sancho rogaba a Dios por el triunfo de su amo, porque la victoria de don Quijote representaba el cumplimiento de la promesa de la ínsula.

Al lograrse el triunfo de don Quijote, Sancho se hincó de rodillas delante del caballero, le besó la mano, y le dijo: "Sea vuestra merced servido, señor don Quijote mío, de darme el gobierno de ínsula que en esta rigurosa pendencia se ha ganado…". ¡Sancho vuelve a incorporarse a los sueños de caballería de su señor! Se manifiesta claramente en su personalidad una transformación progresiva que le lleva del análisis adecuado de la realidad a la incorporación vehemente en los proyectos de don Quijote.

Sancho no es sólo un pragmático realis ta cautivo en lo que se ve y se palpa, sino también un soñador, similar a su amo, que al dar rienda suelta a la imaginación, vive y disfruta las aventuras del hidalgo. Sancho no es sólo consciencia y análisis práctico y sencillo de la vida, es también sueño, posibilidad, esperanza, aventura y futuro.

EL BÁLSAMO DE FIERABRÁS

Luego del interesante y particular episodio en la venta con Maritormes (Tomo I, Cap. XVI), don Quijote y Sancho quedaron sin fuerzas. Para reponerse rápidamente del cansancio y los golpes, el hidalgo decidió disponer de un bálsamo precioso con el cual esperaba sanar en "un abrir y cerrar de ojos". La bebida se preparaba con aceite, vino, sal y romero. El nombre de la bebida, según don Quijote, era "bálsamo de Fierabrás", al cual Sancho aludía como el bálsamo del feo Blás.

La primera vez que tomaron la bebida, don Quijote comenzó a vomitar, "de manera que no le quedó cosa en el estómago", y el sudor copioso que le produjo el bálsamo le llevó a dormir por más de tres horas. Al cabo de ese tiempo, despertó el hidalgo manchego tan aliviado que se tuvo por sano, y reconoció que el bálsamo ciertamente era milagroso. De acuerdo con el hidalgo, "con aquel remedio podía acometer desde allí en adelante, sin temor alguno, cualesquiera ruinas, batallas y pendencias, por peligrosas que fuesen".

Sancho, que presenciaba muy atento el suceso, tuvo la bebida también por prodigiosa y le pidió al hidalgo que le diese el resto del bálsamo que quedaba en la olla. Cuando el escudero tomó la bebida, no vomitó, sino que "le dieron tantas ansias y vascas, con tanto trasudores y desmayos, que él pensó bien y verdaderamente que era llegada su última hora; y viéndose tan afligido y congojado, maldecía el bálsamo y al ladrón que se lo había dado". Posteriormente el brebaje hizo su efecto, y Sancho "comenzó a desaguarse" por casi dos horas, al cabo de las cuales quedó muy molido y quebrantado.

De acuerdo con la interpretación de don Quijote, los efectos adversos del bálsamo en Sancho se debían a que el escudero no había sido armado caballero. El bálsamo, explicaba el hidalgo, producía resultados positivos únicamente en caballeros andantes. A lo que Sancho respondió: "Si eso sabía vuestra merced, ¡mal haya yo y toda mi parentela!, ¿para qué consintió que lo gustase? son..."

Sancho, inmerso en el mundo de las ilusiones y las fantasías de su amo, acepta tomar el bálsamo de Fierabrás, con la esperanza que la bebida le produjera el mismo efecto curativo que había visto en don Quijote. Sin embargo, el escudero se ve claramente excluido de ese singular mundo fantástico, pues la bebida sólo ayuda, de acuerdo con el hidalgo, a los caballeros andantes, debidamente armados. Sancho enfrenta una realidad cruda: Aunque deseaba participar activamente en las fantasías quijotescas, no podía disfrutar plenamente de las virtudes de los caballeros andantes. El mundo de Sancho era el de la realidad, y llegaba a la fantasía únicamente en actos de solidaridad con su amo.

Sancho no cree en encantamientos ni en fantasmas. Sin embargo, en la oscuridad de la noche, y lleno de miedo ante la posibilidad de que su amo le deje sólo en el campo, le ata las patas a Rocinante para impedirle el movimiento. El escudero utilizó las creencias fantásticas del hidalgo para lograr su objetivo. Posteriormente le explica al famoso caballero: "Ea, señor, que el cielo, conmovido por mis lágrimas y plegarias, ha ordenado que no se pueda mover a Rocinante; y si vos queréis porfiar, y espolear, y dalle, será enojar a la Fortuna, y dar coces, como dicen contra el aguijón" (Tomo I, Cap. XX). ¡El escudero engaña a su amo con las ilusiones que don Quijote entendía!

"El miedo que tienes te hace, Sancho, que ni veas ni oyas a derechas; porque uno de los efectos del miedo es turbar los sentidos y hacer que las cosas no parezcan lo que

Esa particular condición de Sancho se pone de relieve también cuando se enfatiza y dilucida el tema del miedo. Don Quijote tradicionalmente representa las virtudes de la valentía y el honor; y Sancho, por su parte, se relaciona con la prudencia y la sobriedad. El hidalgo es el paladín de lo heroico y de la empresa transformadora; su escudero, el representante del análisis ponderado y sabio.

En una de las famosas aventuras en que el hidalgo ve gigantes, caballos, clarines y tambores, Sancho únicamente se percata de balidos de ovejas y carneros (Tomo I, Cap. XVIII). Explica don Quijote la gran diferencia en las percepciones de la realidad, como ataques de miedo que vienen a amedrentar, detener y paralizar a Sancho: "El miedo que tienes te hace, Sancho, que ni veas ni oyas a derechas; porque uno de los efectos del miedo es turbar los sentidos y hacer que las cosas no parezcan lo que son...".

Don Quijote explica muy bien la dinámica expuesta: El miedo hace que las personas no puedan comprender, analizar e interpretar adecuadamente las realidades que les circundan. El temor impide tomar las decisiones adecuadas en el momento preciso. El terror imposibilita proyectos de conquista, programas renovadores, empresas quijotescas.

En Sancho, sin embargo, el miedo es un índice de humanidad y de realidad. Aunque el fiel escudero vive en el mundo de las realidades cotidianas, quiere creer a su señor. Su proceso de desarrollo en la obra es paulatino y voluntario. Se revela en Sancho un crecimiento gradual, pero continuo, que manifiesta, por lo menos, tres momentos importantes: En primer lugar, cree en el proyecto de don Quijote, y le sigue en sus andanzas y locuras; luego, se ve excluido del mundo del hidalgo, y no cree en sus demencias; y finalmente, usa la propia locura del caballero para lograr su propósito.

La vida de Sancho en la obra es un viaje continuo entre la realidad y la fantasía, un peregrinar firme entre la credulidad y rechazo. Y esa particularidad se revela también en sus refranes, que son una forma de presentar desde la perspectiva del pueblo, desde la óptica de la sabiduría popular. Don Quijote alababa esa característica del escudero, y redecía: "Por cierto, Sancho, que siempre traes tus refranes tan a pelo de lo que tratamos...".

El soliloquio de Sancho

El viaje entre la realidad y la fantasía en Sancho llega un punto extraordinario en el segundo tomo de la obra. En un acto de amor, realidad, voluntad y decisión, don Quijote envió a su fiel escudero a que le dijera a Dulcinea que se dejara ver de una vez y por todas "de su cautivo caballero" (Tomo II, Cap. X). Y Sancho se encontró en un muy difícil conflicto: Obedecer a su amo e ir al Toboso, o reconocer la irrealidad e idealidad de la sin par Dulcinea, también conocida como la emperatriz de La Mancha. Un monólogo del escudero en torno a este incidente es revelador. El soliloquio manifiesta claramente el conflicto entre la realidad y la lealtad, entre la verdad y la fantasía. El conocimiento y la seguridad de que en el Toboso no hay ninguna Dulcinea, entró en conflicto agudo con el deseo de servir bien a su amo y demostrarle lealtad y responsabilidad.

En sus preguntas, Sancho pone de relieve la naturaleza de la crisis. El escudero trataba de superar la dificultad y se hacía planteamientos básicos y fundamentales: ¿A dónde va? ¿Se le perdió el asno? ¿De parte de quién? ¿Sabéis la casa? ¿La habéis visto antes?

Las preguntas de Sancho revelan indecisión, preocupación, desorientación, conflicto y desesperanza. Ante el reconocimiento de la complejidad del asunto, se dijo a sí mimo: "todas las cosas tienen remedio, si no es la muerte"; y añade que si su amo es un "loco de atar", él no le queda en zaga, pues le sigue y le sirve.

La estrategia de Sancho fue la de identificar a la primera mujer que viera en el camino, y decirle a don Quijote que era Dulcinea. Si el hidalgo no le creía, Sancho estaba dispuesto a jurar y porfiar, hasta convencer a su amo de la identidad de Dulcinea.

Las esperanzas y los planes de Sancho se hicieron realidad, cuando divisó en el camino a tres labradoras que venían del campo en pollinos. Rápidamente, regresó a donde estaba don Quijote, y con autoridad le anunció la próxima llegada de Dulcinea. Don Quijote reaccionó con escepticismo e incredulidad: ¡No podía creer que se hacía realidad lo que tanto había esperado!

Sancho se acercó a las labradoras, y las describió elocuentemente como doncellas que acompañaban a la sin par Dulcinea. Decía el escudero: "Sus doncellas y ella todas son una ascua de oro, todas mazorcas de perlas, todas son diamantes, todas rubíes, todas telas de brocado de más de diez altos; los cabellos sueltos por las espaldas, que son otros tantos rayos del sol que andan jugando con el viento…". Se esmeró el escudero en detallar particularidades de la belleza de las labradoras.

Sin embargo, don Quijote no vio a Dulcinea, ni aceptó la descripción de las doncellas de Sancho. Únicamente vio las labradoras. Sancho insistía y porfiaba, de acuerdo con su plan, que entre las labradoras estaba Dulcinea, pero don Quijote no aceptó la descripción del escudero, e interpretó la situación como otro hechizo del maligno encantador que lo perseguía.

En esta escena el que está en el mundo de la fantasía es Sancho, pues don Quijote distingue claramente a las labradoras, y aun porfía con su escudero en torno a la verdadera identidad de las mujeres. Sancho penetra profundamente el mundo de don Quijote, para "salir bien del enredo que había creado". Quien está en el mundo de la idealidad aquí es Sancho. Don Quijote permanece en la realidad. Posteriormente, y por insistencias del escudero, atribuye el hidalgo su confusión visual al encantador que trata de robarle su felicidad.

Este viaje entre los mundos de la ilusión y la realidad es lo que caracteriza a Sancho. Pasa el escudero continuamente de un plano al otro; ondula la personalidad de Sancho entre los mundos de la fantasía y la verdad. Así son los seres humanos: Como Sancho, se mueven continuamente en la existencia entre el realismo y la quimera; entre lo tangible y lo intangible, entre lo posible y lo imposible.

Sancho representa en la obra la humildad y la fidelidad. Su mansedumbre y lealtad son valores que se destacan en varios diálogos, monólogos y discursos. Complementa el escudero, de esta forma, las peculiaridades y la misión de don Quijote, quien está inmerso en sus sueños, aventuras y proyectos. El fiel Sancho, en honor a su familia, sabe enfrentar la vida con un sentido de realidad que le impele a perdonar, y sobre todo a ser un hombre pacífico (Tomo I, Cap. XV). Y, en efecto, como indica en su carta Teresa Panza, su esposa, don Quijote "es un loco cuerdo y un mentecato gracioso, y yo no le voy en zaga" (Tomo II, Cap. XXXVI).

Capítulo 7
LA MUERTE DE DON QUIJOTE

"Yace aquí el hidalgo fuerte que a tanto estremo llegó
de valiente que se advierte que la muerte no triunfó
de su vida con su muerte. Tuvo a todo el mundo en poco;
fue el espantajo y el coco del mundo en tal coyuntura,
que acreditó a su ventura morir cuerdo y vivir loco"
Tomo II, Cap. LXXIV.

Consejos de don Quijote a Sancho

Las esperanzas de Sancho de recibir la ínsula como premio a su fidelidad y servicio, se vieron coronadas al llegar a la casa de un duque que le recibió con agrado, distinción y respeto. La duquesa, por su parte, le otorgó el preciado deseo, y comenzaron los preparativos para el inicio de las aventuras de Sancho el gobernador. El duque le indicó a Sancho que se "adileñase" (o preparase) y compusiese para ir a ser gobernador, que ya sus insulanos le estaban esperando como el agua de mayo" (Tomo II, Cap. XLII). Y Sancho, "atentísimamente", escuchaba los buenos consejos de don Quijote, y procuraba conservarlos en la memoria, pues pensaba "salir por ellos a buen parto de la preñez de su gobierno" (Tomo II, Cap. XLIII).

Ante el gesto cordial del duque, Sancho indicó: "Ahora bien, venga esa ínsula; que yo pugnaré por ser tal gobernador que a pesar de bellacos me valla al cielo.

Y esto no es por codicia que yo tenga de salir de mis casillas ni de levantarme a mayores, sino por el deseo que tengo de probar a qué sabe el gobernador". También dijo: "Señor, yo imagino que es bueno mandar, aunque sea un hato de ganado". Y finalmente indica: "Vístanme como quisieren; que de cualquier manera que valla vestido seré Sancho Panza".

En una de las escenas más interesantes y reveladoras de la obra, don Quijote decide orientar a Sancho referente a cómo debía comportarse al ser gobernador de la isla prometida (Tomo II, Cap. XLII). El hidalgo tomó de la mano a su fiel escudero, y en un gesto de nobleza, ternura, sabiduría y sobriedad fue con él a su aposento, para aconsejarle en torno a su nuevo cargo.

Los consejos del caballero, que fueron brindados con reposada voz, revelan las actitudes y las prioridades que deben tener los gobernantes y líderes de todos los tiempos. En labios del ingenioso hidalgo, se encuentra la sabiduría necesaria para la administración pública responsable y efectiva. Los consejos tienen dos niveles básicos: Los que se relacionan con la justicia y la administración pública, y los que aluden a su comportamiento personal y a sus hábitos de higiene y urbanidad.

Sancho Panza, en un gesto receptivo y humilde, procuraba escuchar y asimilar a cabalidad los sabios consejos del valiente caballero, quien en torno a la administración justa de su gobierno le decía: "Primeramente, ¡oh hijo!, has de temer a Dios, porque en el temerle está la sabiduría, y siendo sabio no podrás errar en nada".

De acuerdo con los consejos del hidalgo, el temor a Dios es la primera virtud que deben poseer los gobernantes sabios. En efecto, temor a Dios es una actitud de reverencia, admiración, respeto, aprecio y reconocimiento; no es una manifestación de miedo. Es el descubrimiento y la afirmación de una ética y moral justa, responsable y noble en la vida. Temer a Dios es encarnar un estilo de vida que ponga de manifiesto la honestidad, el perdón, la justicia, el respeto y la decencia. Es erradicar la corrupción y la mentira, e incorporar —en las decisiones personales y aún más en los procesos políticos y gubernamentales— las preocupaciones de los necesitados, los dolores de los marginados y los anhelos de los desamparados. Es la traducción de la justicia y la rectitud en categorías administrativas y gubernamentales claras y aplicables en la sociedad.

Temer a Dios es algo más que creer o tener religión: Es actuar de forma concreta para beneficiar a la gente y redimir seres humanos en cautiverio, sin tomar en consideración la condición social, el origen étnico, o la lealtad partidista. Es vivir según los postulados de la fe, que superan las diferencias ideológicas y los intereses personales. Temer a Dios es decidir de acuerdo con las prioridades y los reclamos de la gente, no para aprovecharse de forma solapada de la conveniencia. Es respetar las decisiones de los pueblos, aunque no estén de acuerdo con los deseos y las aspiraciones personales. Temer a Dios es guiar a las comunidades, como don Quijote a Sancho, por los caminos de la superación y la verdad, no por los senderos de los miedos y las mentiras.

"Lo segundo –añadía don Quijote a Sancho—, has de poner los ojos en quién eres, procurando conocerte a ti mismo, que es el más difícil de los conocimientos". Para el hidalgo, el autoconocimiento era un requisito indispensable de todo buen gobernante. Antes de comenzar la administración pública, la persona líder debe saber quién es, de dónde viene y hacia dónde va, pues ese conocimiento personal es un factor fundamental y necesario para tener éxito en la vida. En efecto, es un índice básico de salud mental.

De acuerdo con los consejos del hidalgo, el temor a Dios es la primera virtud que deben poseer los gobernantes sabios.

En el inventario de la existencia en la vida son muchas las experiencias que forman, informan, reforman, conforman y transforman a los seres humanos. Son innumerables los eventos que dejan huellas indelebles en las personas. Desconocer, ignorar o rechazar la realidad de lo que se es o ha sido es permitir la posibilidad de que dolores del pasado guíen nuestras decisiones en el presente y el futuro. En efecto, es propiciar la alternativa nefasta de que el presente esté cautivo en las memorias pasadas, y de que el futuro esté determinado por angustias de antaño no resueltas.

Esa recomendación a Sancho es muy importante para la sociedad actual. Conocer las tradiciones y apreciar la cultura no son experiencias optativas tanto en los individuos como en los pueblos que triunfan en la vida. Las comunidades que se proyectan victoriosas y con vigor al porvenir no son las que olvidan sus orígenes e ignoran sus raíces. El aprecio de la cultura es un factor de triunfo en la vida.

Al tema del conocimiento propio, don Quijote añade la virtud de la humildad. "Haz gala de la humildad de tu linaje, y no te avergüences en decir que vienes de labradores". La cuna pobre y el origen humilde no son motivos de vergüenza. La gente que rechaza y esconde su pasado no viaja con sentido de dirección al futuro. La altanería y el orgullo son exabruptos de personas inmaduras y acomplejadas. Los pueblos y los individuos que viven y actúan de acuerdo con actitudes egoístas y prepotentes no conquistan el porvenir con fuerza. Las personas que olvidan la humildad como un valor espiritual básico carecen de sentido de dirección en la vida. Ciertamente, transitan desorientadas por los caminos de la historia, sin dejar huellas y sin contribuir positivamente a la belleza de la humanidad.

Don Quijote corona sus consejos a Sancho con la identificación de los resultados de la sabiduría: "Si estos preceptos y estas reglas sigues, Sancho, serán largos tus días. Tu fama será eterna. Tus premios colmados. Tu felicidad indecible".

El resultado de vivir de acuerdo con los valores que don Quijote articula en sus consejos son: Longevidad, fama, premios y felicidad. La aceptación de los consejos del hidalgo producen los frutos anhelados por las personas de bien: La felicidad plena, que es una larga vida con el gozo de disfrutar el reconocimiento y el aprecio de la comunidad. La felicidad es vivir muchos años con el mejor de los premios: Poseer un "buen nombre", es decir, gozar del reconocimiento y cariño de la gente.

Entre los otros consejos del hidalgo al escudero, que destacan también principios éticos, virtudes morales y preocupaciones legales, se pueden identificar los siguientes: "no hay que tener envidia a los que tienen, príncipes y señores; porque la sangre se hereda y la virtud se aquista (adquiere)"; "si acaso viniere a verte cuando estés en tu ínsula alguno de tus parientes, no le deseches ni le afrentes; antes le has de acoger, agasajar y regalar; que con esto satisfarás al cielo, que gusta que nadie se desprecie de lo que él hizo"; y "si acaso doblares la vara de la justicia, no sea con el peso de la dádiva, sino con el de la misericordia".

Esos consejos, que le llegaron pintiparados al leal escudero, revelan las serias preocupaciones de don Quijote y las necesidades básicas de Sancho; también ponen de manifiesto, ciertamente, la calidad humana y el alto concepto de la amistad que poseía el hidalgo.

Don Quijote añade una nueva serie de consejos a Sancho en una carta, cuando la "flor y espejo de los insulanos gobernadores" ejercía en la ínsula Barataria (Tomo II, Cap. LI). En la carta se afirma y subraya la importancia de la justicia social, con sus implicaciones legales y morales, y también se destacan varias actitudes y valores éticos, tales como el agradecimiento, la prudencia y el rechazo a la codicia, los extremos y la glotonería. En efecto, en sus consejos a Sancho, don Quijote, además, pone de relieve las virtudes y rechaza los vicios, ente los que incluye el ser mujeriego y el de la ingratitud, que la cataloga como "hija de la soberbia, y uno de los pecados mayores que sabe".

Posteriormente, Sancho salió a gobernar su ínsula, acompañado de mucha gente y vestido a lo letrado (Tomo II, Cap. XLV). Al llegar a las puertas de la villa que le recibía como gobernador, una delegación de líderes de la comunidad le dio una muy cordial bienvenida. Además, como muestras de felicidad por la llegada del nuevo ejecutivo, se tocaron las campanas y llevaron a Sancho a la iglesia mayor para dar gracias a Dios. Finalmente, en medio de varias ceremonias, le entregaron las llaves del pueblo y le hicieron gobernador perpetuo de la ínsula Barataria.

Una de las mayores dificultades que encontró el nuevo gobernador se relaciona con la actitud y la práctica médica del Dr. Pedro Recio, natural de Tirteafuera, que continuamente la hacía pasar hambre. Esa actitud del médico estaba en clara contraposición con la naturaleza humana de Sancho, quien deseaba comer y satisfacer el creciente y continuo apetito que le caracterizaba. El fundamento de las actitudes y decisiones del Dr. Recio se basaban en que: "los manjares pocos y delicados avivaban el ingenio, que era lo que más convenía a las personas constituidas en mandos y en oficios graves, donde se han de aprovechar no tanto de las fuerzas corporales como de las del entendimiento".

Ya en la ínsula, para sorpresa y admiración de todos, y luego de probar sus discreciones legales, demostrar sus capacidades administrativas y poner de relieve su gran sabiduría como juez, Sancho se sintió insatisfecho: De un lado, estaba sólo e inmerso en itinerarios y compromisos que demandaban de él continua atención y prudencia; y del otro, por las actitudes del médico, se sentía con mucha hambre, que le hacía maldecir en secreto no sólo al gobierno, sino a los que se lo habían dado. Cautivo en su soledad y continuamente atareado por sus deberes, las responsabilidades y el Dr. Recio no dejaban a Sancho ni un instante solo para comer o reposar.

El fiel escudero, transformado ahora en gobernante de la ínsula Barataria, siente tan hondamente la soledad, experimenta la presión de los que le rodean y particularmente herido por el hambre, que, aunque está acompañado por servidumbre, lujos y riquezas, decide regresar a don Quijote y volver a su entorno vital adecuado; en efecto, "la compañía de don Quijote le agradaba más que ser gobernador de todas las ínsulas del mundo".

Sancho, "no harto de pan ni de vino, sino de juzgar y dar pareceres" (Tomo II, Cap. LIII), huye del cautiverio de la gobernación y se regresa al mundo aventurero y andante del hidalgo. Decía el escudero: "Abrid camino, señores míos, y dejadme volver a mi antigua libertad; dejadme que vaya a buscar la vida pasada, para que me resucite de esta muerte presente. Yo no nací para ser gobernador, ni para defender ínsulas ni ciudades de los enemigos que quisieran acometerlas". Salió el escudero de la gobernación sin más ganancia que la experiencia, pues no aceptó cohechos y administró la ínsula según los consejos de Don Quijote.

En su viaje de regreso (Tomo II, Cap. LV), al fiel escudero le tomó la noche en el campo, y, en la oscuridad del camino, cayó junto a su rucio en un hoyo que le parecía profundo, que estaba entre unos edificios muy antiguos. Al pensar que no había de parar hasta llegar a lo profundo de los abismos, se encomendó a Dios de todo corazón. Sin embargo, el golpe no fue severo ni el hoyo tan profundo, y al final de la caída se vio "entero y católico de salud", por lo que daba continuamente gracias a Dios. Allí en el hoyo oscuro, tenebroso e inhóspito, caminaba continuamente preocupado, "a veces iba a escuras, y a veces sin luz, pero ninguna vez sin miedo".

Una vez salió el sol, y el escudero se percató de la llegada de la mañana, comenzó a gritar con fuerza a alguna persona que pasara cerca del hoyo que le cautivaba. Y así, el leal escudero y ex gobernador decía: "¡Ah de arriba! ¿Hay algún cristiano que me escuche, o algún caballero caritativo que se duela de un pecador enterrado en vida, o un desdichado desgobernado gobernador?"

A tales gritos de socorro respondió don Quijote, que pasaba por el lugar y no se imaginaba a quién iba a ayudar, y preguntó con autoridad: "¿Quién está allá abajo? ¿Quién se queja?" Respondió el hidalgo al clamor de alguna persona necesitada con la valentía que le caracterizaba, sin conocer las implicaciones y el desarrollo de la aventura que le esperaba. Sancho contestó a la pregunta del hidalgo, que por sus pecados y por su mala andanza había caído en el hoyo.

El hidalgo pensó que su leal escudero debía estar muerto, y que estaba allí penando su alma, y dijo: "Conjúrote por todo aquello que puedo conjurarte como católico cristiano, que me digas quién eres; y si eres alma en pena, dime qué quieres que haga por ti; que pues es mi profesión favorecer y acorrer a los necesitados deste mundo, también lo seré para acorrer y ayudar a los menesterosos del otro mundo, que no pueden ayudarse por sí propios".

Y añadió: "Don Quijote soy; el que profeso socorrer y ayudar en sus necesidades a los vivos y a los muertos. Por eso dime quién eres, que me tienes atónito, porque si eres Sancho Panza mi escudero, y te has muerto, como no te hayan llevado los diablos, y, por la misericordia de Dios, estés en el purgatorio sufragios tiene nuestra santa madre la Iglesia Católica Romana bastantes a sacarte de las penas en que estás...; por eso, acaba de declararte y dime quién eres" (Tomo II, Cap. LV).

De lo profundo del hoyo, el escudero respondió y dijo: "¡Voto a tal!, y por el nacimiento de quien vuesa merced quiere, juro, señor don Quijote de La Mancha, que yo soy su escudero Sancho Panza, y que nunca me he muerto en todos los días de mi vida...".

La sabiduría de Sancho se pone de manifiesto: Sabe ciertamente quién es, pero sobre todo sabe que no está ni ha estado muerto en toda su vida. Conoce el escudero que la vida no la destruyen los cautiverios, las dificultades, los conflictos, las andanzas, ni aun el prestigio y el poder. Declara Sancho con autoridad, en la profundidad de su caída, que la vida no depende del estado social ni de la condición física.

Sancho es el hombre que nunca ha muerto "en todos los días de su vida", pues decidió servir al hidalgo que vivió para ayudar a la gente en necesidad y liberar a los cautivos. Sancho no murió en toda su vida porque se incorporó a un proyecto de vida que tenía repercusiones que sobrepasaban los niveles del tiempo y del espacio. El escudero no había muerto pues la vida verdadera se la daba el deseo de participar en un proyecto que brinda voz a quienes no la tienen. La gente que invierte su vida en el servicio y en la transformación de sus sueños en la realidad, "no se mueren en todos los días de su vida", pues el compromiso de liberación de los cautivos tiene repercusiones eternas.

CONSEJOS DE SANCHO AL QUIJOTE

"Como las cosas humanas no son eternas" (Tomo II, Cap. LXXIV), llegan a su fin las famosas y atrevidas andanzas y acaeceres del Caballero de la Triste Figura, el muy famoso y conocido don Quijote de la Mancha. Nuestro heroico personaje, experto "enderezando entuertos" y liberando cautivos, y que "del poco dormir y del mucho leer se le secó el cerebro", se enfrentaba ahora cara a cara con la muerte.

De acuerdo con el relato cervantino (Tomo II, Cap. LXXIV), una gran fiebre se le arraigó y lo tuvo en cama seis días. En la narración se identifican dos posibles causas del mal que le aquejaba: La melancolía de verse vencido, o la disposición del cielo. El escritor utiliza, sin embargo, ese entorno de enfermedad y muerte para poner de relieve algunas virtudes éticas extraordinarias que generan el disfrute grato de una vida plena, realizada y abundante.

Sancho es el hombre que nunca ha muerto "en todos los días de su vida", pues decidió servir al hidalgo que vivió para ayudar a la gente en necesidad y liberar a los cautivos.

Al enfrentar la hora final, y el hidalgo recibir la visita del ángel de la muerte, se revela de forma extraordinaria el verdadero nombre del Quijote. En efecto, no sólo se brinda el nombre de pila de nuestro personaje, sino que se devela el sobrenombre que le calificó en toda su existencia: Alonso Quijano, el Bueno. Al término de la obra, Cervantes subraya el corazón de la lección del libro: La bondad humana es el fundamento de la existencia auténtica, fructífera, liberadora y real; la bondad, en efecto, es la base de las virtudes que caracterizan a la gente de bien.

Don Quijote es prototipo del ser humano en búsqueda continua de la bondad, manifestada de forma concreta y real en la liberación de los cautivos y necesitados, y en la celebración de la belleza y el ideal del amor, representado magistral y hábilmente por el "amor de los amores" a la siempre recordada y admirada emperatriz de La Mancha, Dulcinea del Toboso. Y así, al enfrentar molinos que parecían gigantes, o al luchar con gigantes que parecían molinos, don Quijote, más que un individuo fuera de razón, o "un loco de atar", representa, en efecto, a la gente visionaria y creadora que no está cautiva en las apariencias de la vida, e intenta descubrir, detrás de las superficies que se ven, las realidades e implicaciones extraordinarias de las experiencias ordinarias.

En el lecho de muerte se encuentran sus amigos, que procuraban alegrarlo con palabras alentadoras y promesas de futuras aventuras y andanzas. El médico, inclusive, indicó que se atendiera la salud del alma, pues la del cuerpo se esfumaba. Ante la sentencia del galeno, al unísono comenzaron a llorar tiernamente el ama, la sobrina y Sancho, el leal y noble escudero del caballero andante.

Ante la inminencia de la muerte, el diálogo con la gente que ha gozado de la amistad íntima es adecuado, necesario y requerido. Los amigos y las amigas, en momentos de importancia capital en la vida contribuyen de manera destacada a la salud mental y espiritual, y, además, general la sobriedad y sabiduría requerida en esos instantes. Y don Quijote, siguiendo el ejemplo de esa gente buena que se asesora de forma adecuada en los momentos últimos de la vida, llamó a sus fieles amigos para que le acompañaran ese importante tramo final de la existencia.

Luego de dormir por más de seis horas, don Quijote articula un breve salmo de alabanza a Dios. El dormir le ayudó a recobrar el juicio, y así quedó liberado del cautiverio producido por "las sombras de la ignorancia y las imaginaciones". En efecto, el descanso le permitió lograr el más importante y radical de los descubrimientos: "¡Encontrarse a sí mismo! Ese "volver en sí" de Alonso Quijano, "el Bueno", le inspiró a llamar al resto de sus amigos íntimos: El cura, el bachiller Sansón Carrasco y el barbero Nicolás. En "la hora de la hora", la gente de bien se rodea de sus más fieles amigos, pues la amistad es la virtud que nos permite descubrir nuestros verdaderos sentimientos y actitudes en la gente que nos rodea. La amistad, si es verdadera, descubre y comunica intimidades, aspiraciones, dolores y sueños, pues reconoce y aprecia la extraordinaria virtud de la fidelidad.

Al término de la obra, Cervantes subraya el corazón de la lección del libro: La bondad humana es el fundamento de la existencia auténtica, fructífera, liberadora y real; la bondad, en efecto, es la base de las virtudes que caracterizan a la gente de bien.

El "volver en sí" de don Quijote al final de su vida es un componente importante de su personalidad. "Volver en sí" genera en la gente las más creadoras y nobles actitudes; produce, en efecto, las expresiones más gratas y saludables del interior, pues la gente no existe para vivir en cautiverio. ¡No se es feliz encadenado, ni mucho menos se disfruta la vida enclaustrado en estilos de vida sin sentido de dirección! Las cadenas físicas, emocionales o espirituales no son marcos adecuados para la gente. El ser humano no fue creado para el cautiverio, sino para la Libertad.

El salmo de don Quijote relaciona varios atributos importantes de Dios: El poder, la misericordia y la bondad. Esta identificación tan precisa prepara el camino para la manifestación de la misericordia y el perdón divinos. Afirma el salmo, además, de manera categórica y clara, lo ilimitado, intenso y extenso del amor de Dios que no se detiene, inclusive, ante el pecado ni la maldad humana. La gran declaración teológica final de don Quijote es el reconocimiento de que no hay poder humano capaz de detener el amor divino que sobrepasa a todo entendimiento.

> "¡Bendito sea el poderoso Dios,
> Que tanto bien me ha hecho!
> Sus misericordias no tienen límite,
> Ni las abrevian ni impiden los pecados de los hombres."

La alabanza de don Quijote revela capacidad teológica y compromiso con la humanidad. De un lado, el hidalgo afirma el poder y la misericordia divina. Del otro, reconoce la naturaleza humana pecaminosa. El "volver en sí" del caballero manchego le permitió articular una teología sana y muy responsable. La misericordia divina no se inhibe ante ningún acto humano, ni se acorta la gracia de Dios con el pecado de la gente.

Sancho —quien la amistad de don Quijote le agradaba más que gobernar todas las islas del mundo—, atento a la agonía del hidalgo, que al mismo tiempo era un claro proceso de recuperación de la conciencia y de la vida, exclamó ante la cama de su admirado amigo y compañero de andanzas y aventuras: "¡Ay! No se muera, vuestra merced, señor mío, sino tome mi consejo, y viva muchos años; porque la mayor locura que puede hacer un hombre en esta vida es dejarse morir, sin más ni más, sin que nadie le mate, ni otras manos le acaben que las de la melancolía…".

El consejo del ilustre y fiel escudero descubre la razón fundamental de la muerte del famoso hidalgo y caballero andante: La melancolía o la depresión. La muerte del hidalgo se relaciona con el recuerdo de lo que pudo haber sido y no fue. En efecto, la caída del genial caballero andante pudo haber sido el resultado del cruel descubrimiento de no haber alcanzado lo que con fuerza y dedicación deseó; o sea, la frustración de no poseer lo que anheló con empeño y responsabilidad. Sancho identifica con certeza y claridad lo peor que puede hacer ser humano alguno. Revela, también, la peor decisión que individuos y pueblos llevan a efecto: ¡Dejarse morir!

La palabra elocuente y sabia de Sancho rompe los linderos del tiempo para llegar a la sociedad contemporánea. Esta sociedad nuestra que ha llegado al siglo veintiuno con una serie de problemas que afectan la fibra más honda de nuestro pueblo. Los conflictos y dolores que nos circundan muchas veces tocan varios niveles profundos e insospechados de sensibilidad. La situación económica y legal, o la marginación política y social, son experiencias traumáticas que pueden afectar de forma permanente y agobiante a nuestras comunidades. Una tentación, ante la magnitud de la crisis que nos interpela, es quedar inmóviles ante la naturaleza y complejidades de los retos.

En los hogares, en las escuelas, en las calles, y hasta en los círculos políticos, religiosos y sociales, la violencia física y verbal se manifiesta de forma extraordinaria. En el hogar se vive con temores; y en las escuelas impera la ley del revólver. La comunidad es testigo de matanzas y agresiones continuas. En los círculos políticos se manifiesta rampante la violencia contra la moral y la verdad. Las instituciones sociales que tradicionalmente eran centros de refugio a los necesitados y marginados de las comunidades luchan por sobrevivir ante presiones económicas brutales. Las persecuciones por motivos de identidad, preferencia, lenguaje y cultura se hacen públicas dejando surcos y huellas de heridas profundas en las memorias y vivencias de individuos y grupos. Valores como el de la honestidad muchas veces son sólo recuerdos del pasado; y palabras como "honorables" han cambiado de sentido, para significar lo opuesto de su naturaleza semántica básica.

El acto suicida de "dejarse morir", al comenzar el siglo veintiuno, equivale a permitir que la energía espiritual y moral de este pueblo se agote y se esfume; significa quedarse inerte ante las complejidades de la existencia humana; es el resultado del ignorar las injusticias y los atropellos contra los necesitados y menesterosos de la sociedad; es la manifestación del permanecer silentes y detenidos ante la velocidad y la confusión de la gente y del tiempo; es el producto del rechazar los desafíos y las oportunidades que nos ofrece la vida.

"Dejarse morir" es hacer caso omiso a los signos de la hora que reclama de la gente noble y buena la mayor creatividad, el poder más firme, y la energía necesaria para proyectarse con fuerza y sabiduría al porvenir. El ser humano y los pueblos se dejan morir cuando no aprecian sus costumbres, cuando ignoran sus tradiciones, cuando se avergüenzan de su cultura, cuando rechazan sus valores, cuando atentan contra su identidad.

Sancho lo dijo con autoridad y gracia: "La peor locura que puede hacer la gente y la sociedad es dejarse morir, sin más ni más, sin que nadie le mate, ni otras manos le acaben..."

Capítulo 8

ME PARECE QUE MI AMO ES TÓLOGO

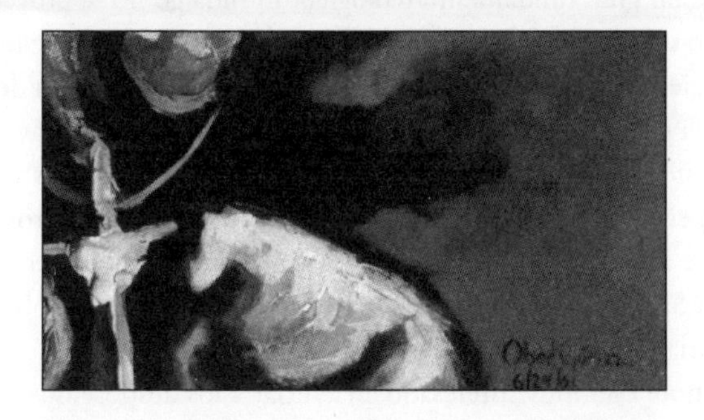

"El diablo me lleve —dijo a esta sazón Sancho entre sí— si este mi amo no es tólogo, y si no lo es, que lo parece como un güevo a otro. Mi señor… es un hidalgo muy atentado, que sabe latín y romance como un bachiller, y en todo cuanto trata y aconseja procede como un buen soldado… Y así no hay más que hacer sino dejarse llevar por lo que él dijere…"
Tomo II, Cap. XXVII

Teología en La Mancha

Las referencias a la Biblia y a los valores religiosos en Don Quijote son muchas. Se incluyen citas directas e indirectas de las Sagradas Escrituras; por ejemplo, "porque a quien se humilla, Dios lo ensalza" (Tomo I, Cap. XI), o la alusión a "volver a las ollas de Egipto" (Tomo I, Cap. XXII)— como también referencias a personajes bíblicos como Sansón, Adán y Eva, y Jesús. En esos textos, Cervantes enfatiza algún valor, subraya cierta verdad o identifica y alude a algún personaje para desarrollar varios temas de su argumentación. Estas referencias no son adornos literarios y religiosos ni énfasis retóricos en el desarrollo de la obra cervantina, sino que contribuyen de forma destacada a puntualizar la sabiduría de los personajes y a poner de manifiesto los valores y los principios religiosos del proyecto liberador de don Quijote de La Mancha.

La concepción de la misión de don Quijote tiene un gran fundamento teológico.

La concepción de la misión de don Quijote tiene un gran fundamento teológico. El hidalgo no se proyecta al futuro como un loco suicida que, desorientado, huye de las realidades que le rodean. Por el contrario, siente una necesidad honda de acercarse al pueblo, un deseo ardiente de ayudar a la gente en apuros, que él claramente identifica, a través de la obra, como "menesterosos, doncellas, viudas, huérfanos, flacos, pobres y miserables". Inclusive su percepción de la misión no se detiene con los menesterosos humanos, sino que tiene implicaciones reales para la otra vida, de acuerdo con la respuesta del hidalgo a Sancho, luego de finalizar su incumbencia como gobernador de la ínsula Barataria (Tomo II, Cap. LV).

Don Quijote está muy interesado en ayudar a los desposeídos y marginados de la sociedad. En efecto, la misión del hidalgo se identifica, de forma continua, con el sector social que, de acuerdo con la Biblia, y particularmente el mensaje de Jesús, debe tener trato preferencial en la creación, desarrollo y ejecución de programas misioneros relevantes y transformadores. Guía al proyecto quijotesco un espíritu misional, una visión de servicio, un sentido del deber, una voluntad de ayuda.

El famoso hidalgo manchego vive para responder a las necesidades de liberación de las personas en cautiverio. Su proyecto fundamental en la vida era responder a los clamores y llantos de los oprimidos. El hidalgo vive para satisfacer la sed de justicia y paz de los que viven, sienten y respiran continuamente las injusticias de la sociedad. Su postulado misionero nacía de una profunda convicción teológica: "porque me parece duro caso hacer esclavos a los que Dios y naturaleza hizo libres" (Tomo I, Cap. XXII).

El famoso hidalgo manchego vive para responder a las necesidades de liberación de las personas en cautiverio.

Para don Quijote, la esclavitud era un signo antihumano, y el continuo rechazo a las cadenas, se revelaba de forma constante en la obra.

Ese claro valor teológico y misionero en don Quijote se pone de manifiesto en varios episodios de la obra. En una ocasión, cuando se le pregunta al hidalgo directamente por sus estudios, responde que ha cursado la carrera de caballería andante. Y añade que tales personas deben ser, además de jurisperitos y médicos, entre otras cosas, teólogos, "para saber dar razón de la cristiana ley que profesa, clara y distintamente, adondequiera que le fuere pedido" (Tomo II, Cap. XVIII). Posteriormente incluye en su explicación, que todo caballero andante deber ser extremadamente cauteloso y profundamente piadoso en "guardar la fe a Dios".

Las personas como don Quijote deben ser también teólogas para explicar de forma adecuada la razón de ser de sus programas liberadores. Para el hidalgo, la teología no tiene como propósito fundamental estudiar teorías y filosofías abstractas poco pertinentes para la vida diaria. Su objetivo inmediato es la ejecución de planes, proyectos y programas que beneficien de forma decidida, adecuada y grata a la gente en cautiverios. El caballero debe explicar con sabiduría, en cualquier lugar, la base moral y espiritual de sus ejecutorias. Según don Quijote, la articulación teológica sirve para contribuir a una mejor comprensión de los motivos que le impelen a vivir de cara a los llantos y los reclamos de las personas en necesidad.

La teología especulativa, por su lado, no es ajena a la tarea liberadora y misionera de don Quijote. La respuesta a los clamores de la agente se fundamenta en valores éticos y espirituales que ha aprendido y se manifiestan de forma práctica y real. Y sobre este mismo tema, exclama con autoridad y le indica con sabiduría al leal escudero: "Así, ¡oh Sancho!, que nuestras obras no han de salir del límite que nos tiene puesto la religión cristiana que profesamos" (Tomo II, Cap. VIII).

Reconoce don Quijote que su proyecto de vida —es decir, su misión de caballero andante— está dentro de los límites de las demandas y los reclamos de la fe cristiana. Posteriormente, identifica actitudes humanas desagradables que se contraponen a los valores del espíritu, entre las que incluye: Soberbia, envidia, ira, gula, lujuria, lascivia y pereza. Le explica don Quijote al fiel y leal escudero que esas actitudes detienen a la gente de bien para que no alcancen "los extremos de alabanzas que consigo trae la buena fama". El compromiso serio con la religión demanda acciones específicas de los creyentes, que de acuerdo con los consejos de don Quijote son expresiones que se manifiestan en obras concretas.

En efecto, la teología de don Quijote era práctica y real, pues "la experiencia es la madre de todas las ciencias" (Tomo I, Cap. XXI). No estaba interesado el hidalgo en hacer calistenias especulativas en torno a las implicaciones éticas y morales de la justicia. Su objetivo primordial en la vida era servir y liberar a los cautivos, de los cuales los galeotes del rey eran un magnífico ejemplo. No estaba interesado en evaluar y ponderar la justicia de las sentencias impuestas a los cautivos por el rey, el deber fundamental del hidalgo era liberarlos de sus cautiverios.

Tampoco don Quijote discutía las complejidades jurídicas, políticas y legales de los cautivos; únicamente le interesaba la destrucción de las cadenas.

A don Quijote no le preocupaba tanto dar un buen discurso religioso, sino vivir un estilo de vida que pusiera de manifiesto los valores que profesaba y los principios que lo guiaban en su vida. Ante la necesidad humana, más importante era la acción inmediata y real, que la contemplación ponderada y pasiva. Sin embargo, no es posible ignorar el hecho de que el hidalgo también podía argumentar con lucidez intelectual y capacidad teológica, y decir en torno a la santa ley de Dios: "... nos manda que hagamos bien a nuestros enemigos y que amemos a los que nos aborrecen, mandamiento que, aunque parece algo dificultoso de cumplir, no lo es sino para aquellos que tienen menos de Dios que del mundo, y más de carne que de espíritu, porque Jesucristo, Dios y hombre verdadero, que nunca mintió, ni pudo ni puede mentir, siendo legislador nuestro, dijo que su yugo era suave y su carga liviana; y así, no nos había de mandar cosa que fuese imposible el cumplirla" (Tomo II, Cap. XXVII).

Ese estilo de vida misionero y teológico, de un lado, y el práctico y concreto, del otro, se revela en un diálogo muy interesante entre don Quijote y Vivaldo (Tomo I, Cap. XIII). El hidalgo explica la naturaleza de su profesión, e indica que, "aunque pecador..., voy por estas soledades y despoblados buscando las aventuras, con ánimo deliberado de ofrecer mi brazo y mi persona a la más peligrosa que la suerte me depare, en ayuda de los flacos y menesterosos". Don Quijote reconoce sus limitaciones espirituales, pero al mismo tiempo destaca su valentía y su firme convicción. ¡El hidalgo vive enfrentando peligros con el sólo objetivo de ayudar a la gente débil!

Vivaldo, sorprendido con las afirmaciones de honor de don Quijote, respondió que ni los frailes cartujos tienen tanta valentía. Relacionó instantáneamente las hazañas del hidalgo con proyectos religiosos. Don Quijote, por su parte, reaccionó con mucha sabiduría y más comprensión teológica: "los religiosos, con toda paz y sosiego, piden al cielo el bien de la tierra; pero los soldados y los caballeros ponemos en ejecución lo que ellos piden...".

A don Quijote no le preocupaba tanto dar un buen discurso religioso, sino vivir un estilo de vida que pusiera de manifiesto los valores que profesaba y los principios que lo guiaban en su vida.

Y añadió el hidalgo: "Y como las cosas de la guerra... no se pueden poner en ejecución sino sudando, afanando y trabajando, síguese que aquellos que la profesan tienen, sin duda, mayor trabajo que aquellos que en sosegada paz y reposo están rogando a Dios favorezca a los que poco pueden". Concluyó el discurso don Quijote al indicar que, aunque reconocía y apreciaba el buen estado de los religiosos, eran los caballeros andantes los que debían trabajar, recibir golpes y pasar hambre y sed por el bien de la humanidad.

En las respuestas de don Quijote se presentan dos perspectivas religiosas de la vida: La contemplación pasiva de la realidad, y la intercesión piadosa al cielo. ¡Se pide a Dios que intervenga en la tierra! Este estilo de vida religioso comprende la intercesión como la contribución mayor de la fe a la comunidad, a la vida diaria. El hidalgo identifica y describe esa forma de vida religiosa con expresiones tales como "sosiego", "paz" y "reposo". Se enfatiza el ambiente de quietud, el entorno de paz, la actitud de descanso, el ambiente de meditación.

El hidalgo presenta su misión, sin embargo, como una buena alternativa a ese tipo de empresa misionera pasiva: Trabajo, esfuerzo, sufrimiento y sudor. La vida de los caballeros andantes, como la de la gente emprendedora y transformadora, se describe con términos dinámicos, con expresiones relacionadas al dolor, al trabajo arduo, al sudor. No sólo compara don Quijote las dos modalidades religiosas, sino que claramente se identifica con la de los caballeros andantes. Indica, además, que se sufre más en el trabajo de esa caballería, pues se trabaja fuerte para hacer realidad lo que los religiosos tradicionales le piden a Dios en oración.

La misión de don Quijote se fundamenta en una teología práctica y contextual. No cree el hidalgo en la religión que se aleja de las necesidades de la gente, ni en la que evade sus responsabilidades en el mundo y la sociedad. Don Quijote leyó y descubrió su vocación en la mirada de Andrés, el joven azotado; el hidalgo recibió la energía y aquilató la vocación divina al liberar de sus cadenas a los galeotes del rey.

No es una contemplación lenta, lejana y superficial la que mueve a don Quijote a dejar hacienda y seguridad, por ayudar a los desposeídos de su comunidad. Impele al hidalgo un sentido hondo de realidad que le ayudó a entender que el mundo no se cambia con buenos deseos, ni se transforman las sociedades con intenciones gratas. Los cambios, las transformaciones y las liberaciones significativas en los individuos y las sociedades son el producto y resultado de la actividad decidida y firme de la gente de bien. En palabras bíblicas, don Quijote siguió los consejos de la epístola universal de Santiago: "La religión pura y sin mácula delante de Dios el Padre es ésta: Visitar a los huérfanos y a las viudas en sus tribulaciones, y guardarse sin mancha del mundo" (Stg 2.27).

VOCACIÓN LIBERADORA

Entre los temas teológicos que se revelan en la obra de Cervantes, se pueden identificar algunos de importancia capital. El ser humano tiene que decidir su vocación, debe identificar los proyectos en los cuales va a invertir su vida, y el modelo de don Quijote es el de servir a la gente en necesidad. La gente no debe vivir para responder únicamente a los reclamos de las circunstancias, ni para actuar a la defensiva ante las dificultades de la existencia humana. El modelo de don Quijote es agresivo, activo, dinámico, emprendedor, soñador e impetuoso. Don Quijote decidió, por voluntad propia, invertir toda su vida en un peregrinar que lo llevó a disfrutar muchas aventuras y a experimentar también desencantos, fracasos y frustraciones. Don Quijote decidió invertir toda su existencia en el impostergable y duro trabajo de implantar la justicia, sin permitir que los problemas, los rechazos y las derrotas hipotecaran ni cautivaran su futuro. Pensó el hidalgo que la sociedad tenía la posibilidad de aceptar personas aventureras y arriesgadas. El caballero andante soñó con una sociedad diferente, en la cual no se maltratara a la niñez, ni se oprimiera a la mujer, ni se encadenara a la gente.

> *Don Quijote decidió invertir toda su existencia en el impostergable y duro trabajo de implantar la justicia, sin permitir que los problemas, los rechazos y las derrotas hipotecaran ni cautivaran su futuro.*

Salió de su hacienda el Quijote porque creía que podía contribuir al establecimiento de un mundo mejor, al desarrollo de una sociedad más justa, y a la implantación de dinámicas que permitieran el desarrollo del potencial humano. El hidalgo escogió abandonar la seguridad de su entorno familiar para emprender y participar, como un misionero, en la construcción de estructuras morales, emocionales, espirituales, sociales y políticas que permitan la autorrealización plena de la gente.

La sociedad que lo recibió, sin embargo, lo llamó loco. Sus amigos y familiares trataron de persuadirlo para que desistiera de esa idea tan descabellada. Fue rechazado por la gente que no deseaba que sus vidas inauténticas fueran cambiadas y transformadas. Muchas personas se burlaron de él, pues pensaban que una empresa de liberación de oprimidos no podía ser el resultado de una mente balanceada y cuerda. También fue herido en el fragor de la batalla, cuando intentaba hacer realidad física lo que ya había visto en su corazón.

Ante personalidades recias y decididas como la de don Quijote, no pocas veces se levantan personas y grupos para silenciar las voces que reclaman justicia.

Cuando se articula un programa que intenta cambiar alguna estructura política y social que permite o fomenta la marginación, o que produce gente cautiva del alma, sin sueños ni aspiraciones, no faltan las voces que gritan ¡locura!, ni los epítetos ofensivos, ni las respuestas hostiles. Los hidalgos soñadores de la historia han recibido heridas mortales porque hay sociedades que no resisten la grata posibilidad de la implantación liberadora de la justicia.

Aunque mucha gente desea silenciar a los quijotes del mundo, siempre aparecen personas como Sancho. ¡Gente realista y soñadora al mismo tiempo! Personas que tienen la capacidad maravillosa de fundir en una sola vida lo pragmático y lo ideal. Los Quijotes tienen que tener Sanchos al lado, pues esta singular figura cervantina no representa un adorno literario entre los personajes de la obra, sino que es el continuo compañero de camino y conciencia, que descubre, poco a poco en la vida, que las personas enclaustradas no son felices.

Para ser feliz hay que tener alguna Dulcinea que nos inspire, o alguna ínsula que nos motive. Para alcanzar el disfrute pleno de la vida, hay que separar tiempo para incentivar la imaginación, para dar rienda suelta al ingenio y para construir en la mente el futuro mejor. El porvenir grato y justo hay que disfrutarlo primeramente en visión, antes de traducirlo a la vida diaria. No se puede crear lo que anteriormente no se ha visualizado. Ni se puede traducir a la realidad lo que anteriormente no se ha soñado y vislumbrado. La dicha es el descubrimiento y la aceptación de que la labor realizada se ha llevado a efecto con un sentido de servicio y apoyo a la gente desafortunada.

DON QUIJOTE Y LA TEOLOGÍA

Los temas que se destacan en este libro sobre don Quijote, *Yo sé quién soy*, son similares a los que se han expuesto en la teología del último cuarto del siglo veinte. Don Quijote nos ha recordado la vocación transformadora y redentora de la teología, y también de la naturaleza teológica de la salvación y las liberaciones. Ha subrayado e identificado el hidalgo la gente que debe ser el objeto principal de esa empresa cristiana de transformación redentora: personas marginadas, pobres, cautivas, enfermas y desposeídas. ¡La gente en necesidad especial! La gente que no tiene acceso pleno a los disfrutes de la naturaleza, de la vida y de los dones divinos.

Para don Quijote, como para toda teología pertinente y contextual, el sujeto de toda prioridad misionera es la gente en necesidad, angustiada, marginada y oprimida por la sociedad. El proyecto quijotesco no es quimérico a los ojos de la teología contextual. Don Quijote invirtió su vida entera y sus energías en lo que otras personas también han decidido dedicar sus fuerzas y voluntades. La dicha y la bienaventuranza de don Quijote se relacionan con su decisión vocacional básica: Ser el refugio de las esperanzas de los menesterosos.

La empresa hidalga de enderezar entuertos no está muerta. Está viva en los esfuerzos continuos de la gente que ha decidido no acostumbrarse a la mediocridad, ni ha aceptado el cautiverio como un estilo de vida normal. Don Quijote vive en las labores desinteresadas y los servicios voluntarios que se ofrecen a pacientes terminales. Vive el hidalgo en el trabajo arduo y sacrificado con comunidades marginadas del continente, muchas de las cuales no tienen oportunidades adecuadas para el desarrollo intelectual, ni poseen servicios de salud suficientes, ni tienen acceso a fuentes de trabajo y de recursos que les permita ganarse la vida de forma honrada, digna y justa.

No ha muerto don Quijote en la vida de la gente que no se resigna al cautiverio, en la conciencia de las personas que sueñan un futuro mejor, en los grandes esfuerzos de los hombres y las mujeres que trabajan con valentía, en el nombre del Señor, para transformar las comunidades que les rodean. El Caballero de la Triste Figura todavía vive en barrios pobres, en *favelas*, en zonas de invasión, y en los proyectos misioneros que se dedican a cambiar esas realidades adversas y nefastas para la dignidad humana. Vive, en efecto, don Quijote, pues todavía hay personas que luchan para conseguir la justicia social y colaboran contra las diversas manifestaciones del pecado que hieren y ofenden la imagen de Dios y la fibra más honda de la gente de bien.

Don Quijote vive en los programas que desarrollan una niñez saludable, en los proyectos que destacan la dignidad de la mujer, en los esfuerzos que identifican actitudes racistas, en la predicación del evangelio eterno que denuncia las injusticias, en las experiencias religiosas que nos permiten tener una mejor comprensión de la sociedad y de la vida, y en el análisis sobrio que nos ayuda a identificar, aislar y denunciar las fuerzas subyacentes que afectan a la gente. Vive don Quijote, y al llegar sobre Rocinante al continente americano, en los inicios del siglo veintiuno, rechaza abiertamente la oscuridad que se asoma y se cierne sobre el alma humana.

"Caballero soy y caballero he de morir —decía don Quijote—, si place al Altísimo. Unos van por el ancho campo de la ambición soberbia; otros, por el de la adulación servil y baja; otros, por el de la hipocresía engañosa, y, algunos, por el de la verdadera religión; pero yo, inclinado de mi estrella, voy por la angosta senda de la caballería andante, por cuyo ejercicio desprecio la hacienda, pero no la honra. Yo he satisfecho agravios, enderezado tuertos, castigado insolencias, vencido gigantes, y atropellado vestiglos... Mis intenciones siempre las enderezo a buenos fines, que son el hacer bien a todos y mal a ninguno; si el que esto entiende, si el que esto obra, si el que desto trata merece ser llamado bobo, díganlo..." (Tomo II, XXXII).